Erläuterungen und Dokumente

———————

Heinrich von Kleist
Das Erdbeben in Chili

HERAUSGEGEBEN VON
HEDWIG APPELT UND DIRK GRATHOFF

PHILIPP RECLAM JUN. STUTTGART

Dieser Kommentarband enthält zum Teil bisher unberücksichtigtes Material. Für die freundliche Unterstützung bei der Beschaffung dieses Materials danken die Herausgeber der Heinrich-von-Kleist-Sammlung in der Amerika-Gedenkbibliothek Berlin, der Universitätsbibliothek Freiburg, der Staatsbibliothek München, den Staatsbibliotheken in Berlin sowie dem Ibero-Amerikanischen Institut in der Stiftung Preußischer Kulturbesitz, Berlin.

Kleists Erzählung »Das Erdbeben in Chili« liegt unter Nr. 8002 in Reclams Universal-Bibliothek vor. Auf diese Ausgabe beziehen sich die Seiten- und Zeilenangaben in den Erläuterungen.

Universal-Bibliothek Nr. 8175[2]
Alle Rechte vorbehalten
© 1986 Philipp Reclam jun. GmbH & Co., Stuttgart
Gesamtherstellung: Reclam, Ditzingen. Printed in Germany 1990
RECLAM und UNIVERSAL-BIBLIOTHEK sind eingetragene
Warenzeichen der Philipp Reclam jun. GmbH & Co., Stuttgart
ISBN 3-15-008175-0

Inhalt

I. Wort- und Sacherklärungen 5

II. Geschichtlicher und literarischer Kontext 36
   1. Zeitgenössische Berichte über Chile und das Erdbeben von Santiago 1647 37
   2. Das Erdbeben von Lissabon 1755 und die folgende philosophische Diskussion 50
   3. Die Gattungstradition der moralischen Erzählung: »contes moreaux« und »contes philosophiques« 76

III. Geschichte der Erstdrucke (1807 und 1810) . . . 80

IV. Dokumente zur Wirkungsgeschichte 92
   1. Die Buchausgabe der »Erzählungen« (1810) 92
   2. Nachdichtungen und Verfälschungen im frühen 19. Jahrhundert 103
   3. Autoren des 19. Jahrhunderts 111
   4. Autoren des 20. Jahrhunderts 121
   5. Die Verfilmung von Helma Sanders 131

V. Texte zur Diskussion 134
   1. Die Dialektik des Opfers in Mythos und Aufklärung 134
   2. Chile heute – Erdbeben und andere Erschütterungen 141

VI. Literaturhinweise 145

VII. Abbildungsnachweis 151

I. Wort- und Sacherklärungen

Der folgende Kommentar ist bemüht, den Erfordernissen von Lehre und Forschung gleichermaßen Rechnung zu tragen. Über die Wort- und Sacherklärungen hinaus sind deshalb Hinweise auf thematische, motivische und sprachliche Querverbindungen bzw. Entsprechungen in anderen Werken Kleists aufgenommen. Auf Quellen bzw. Vorlagen für Kleists Erzählung wird zusammenhängend in Kap. II eingegangen, lediglich einige kleinere motivische Entsprechungen mit Schriften anderer Autoren sind im Zeilenkommentar vermerkt, ebenso Hinweise auf wichtige oder kontroverse Forschungsergebnisse.

Die Textgestalt der Reclam-Ausgabe entspricht der Edition von Helmut Sembdner, der seinerseits den Text der Buchausgabe von 1810 zugrunde gelegt hat, bei der Absatzunterteilung aber auf den Erstdruck (1807) im »Morgenblatt« zurückgriff (vgl. dazu Kap. III und die Anm. zu 51,19, 58,24, 59,22 und 62,12). Größere Textvarianten des Erstdrucks gegenüber der Buchausgabe sind im folgenden mit dem Zusatz »Erstdr.« vermerkt; auf kleinere Varianten, Interpunktionsabweichungen und Sembdners Normalisierungen der Schreibung wird nicht hingewiesen.

51,1 [Titel] *Das Erdbeben in Chili:* Erstdr.: *Jeronimo und Josephe. Eine Scene aus dem Erdbeben zu Chili, vom Jahre 1647* (vgl. Kap. III). Zum geschichtlichen Hintergrund des chilenischen Erdbebens vom 13. Mai 1647 (und des bekannten Erdbebens in Lissabon vom Jahr 1755) vgl. Kap. II. Kleist hat eine weitere Erzählung im (mittel-)amerikanischen Raum angesiedelt: »Die Verlobung in St. Domingo« (Anfang 1811); zur Ortswahl vgl. auch Anm. zu 58,20. *Chili:* ältere Schreibung von Chile.

51,2 *St. Jago:* ältere Schreibung (auch »San Jago«) von Santiago (de Chile). Die Stadt wurde 1541 von Pedro de Valdivia gegründet und ist seit 1609 offizielle Hauptstadt des

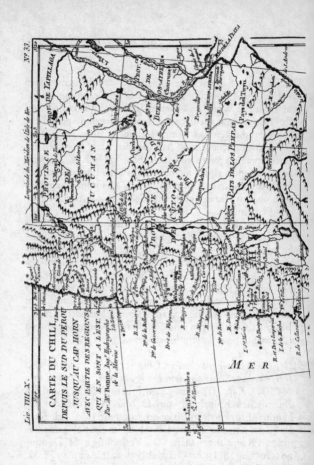

Rigobert Bonne: Karte von Chile (um 1780).

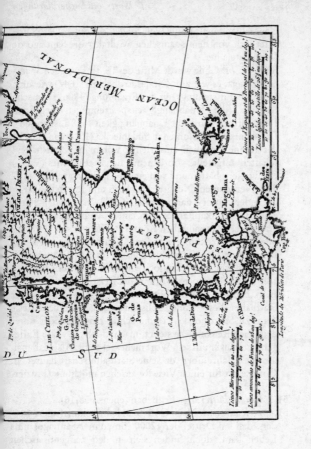

Generalkapitanats Chile (vgl. folgende Anm.). Der Name leitet sich von dem spanischen Wallfahrtsort Santiago de Compostela her.

Königreichs: Chile wurde Mitte des 16. Jh.s von den Spaniern erobert, es war zur Zeit des Erdbebens (1647) wie auch noch zur Entstehungszeit der Erzählung (1806) spanische Kolonie (die Unabhängigkeitsbestrebungen begannen 1808, formell wurde die Unabhängigkeit 1818 ausgerufen). Die spanischen Kolonien in Südamerika (1519 von Karl V. der Krone Castilien einverleibt) waren in 9 Statthalterschaften aufgeteilt, von denen 4 den Status eines (Vize-) Königreichs hatten und von einem Vizekönig regiert wurden (Neuspanien, Neugrenada, Peru und Rio della Plata); die anderen fünf – darunter auch Chile – hatten den Status eines Generalkapitanats mit einem Generalkapitän als Statthalter des spanischen Königs. Chile war seit 1641 Kapitanie des Vizekönigreichs Peru. Kleist hält sich mit seiner Bezeichnung *Königreich* und der Herrschaftsform des *Vizekönigs* (vgl. 52,9) dennoch an die in den Schriften des 18. Jh.s übliche Form, wofür in der Reisebeschreibung von A. F. Frezier folgende Erklärung gegeben wird: »Der Statthalter dieses Königreichs hat seine gewöhnliche Residenz zu Santiago. [. . .] Unerachtet der Präsident unter dem Vice-Ré von Peru stehet, macht doch die weite Entlegenheit, daß er um sein Wort nicht viel giebt: Also daß man ihn die 7 Jahre über, da seine Statthalterschaft dauret, in Chili selbst für einen Vice-Ré ansehen möchte.« (Frezier, S. 133 f.)

51,3 *Erderschütterung:* Erdbeben (ebenso 58,16).

51,4 *viele tausend:* Nach Goll (S. 2) kann rekonstruiert werden, daß ein Drittel der 12000 Einwohner Santiagos ums Leben kam, doch finden sich in den zeitgenössischen Schriften keine definitiven Angaben.

51,5 f. *auf ein Verbrechen angeklagter:* wegen eines Verbrechens angeklagter (ungewöhnlicher Sprachgebrauch, in den Wörterbüchern nicht belegt). Die Art des Verbrechens bzw. der Grund für die Anklage wird im Text nicht genannt (vgl. auch Anm. zu 61,31).

51,6 *Jeronimo:* Davidts (S. 23) hat zuerst darauf aufmerksam gemacht, daß die Figuren im »Erdbeben« oft dieselben Namen tragen wie die in der »Familie Ghonorez«, der in Spanien angesiedelten Erstfassung der »Familie Schroffenstein.« So entsprechen einander: Don Fernando, Elmire (hier: Elvire, als Gattin), Juan (jeweils der Sohn), Pedro (hier: Don Pedro, der Vater), Don Alonzo, Jeronimo (hier: Jeronimo), Philipp (als Sohn). Hamacher (in Wellbery, S. 163) hat auf die biblischen Vorbilder für die Namensgebung hingewiesen: Jeronimo trage den Namen eines Heiligen: Hieronymus; Josephe als ›Mutter Gottes‹ den Namen eines biblischen Ziehvaters: Josephs.

51,8 *erhenken:* Intensivum von »erhängen« wird nur im Fall eines Selbstmords verwendet.

Don: spanischer Adelstitel (»Herr«) vor männlichen Vornamen (weibl.: Donna).

51,10 *Lehrer:* Jeronimo ist als Hauslehrer (Hofmeister) bei der Familie Asteron angestellt. Kleist greift das in der Weltliteratur weit verbreitete Motiv der Liebe eines bürgerlichen Hofmeisters und einer adligen Tochter auf, das namentlich mit der tragischen Liebesgeschichte von Abaelard und Heloise assoziiert wird und besonders in der Sturm-und-Drang-Literatur mehrfach behandelt wurde (z. B. in J. M. R. Lenz' Komödie »Der Hofmeister«). In umgekehrter Standeskonstellation wird das Thema der Liebe zwischen einem Adligen und einem bürgerlichen Mädchen bei Kleist im »Käthchen von Heilbronn« behandelt.

51,12 f. *Einverständnis:* geheime Übereinstimmung. Im »Michael Kohlhaas« ist von »geheimen Einverständnissen« zwischen Kohlhaas und Nagelschmidt die Rede (SW II,75) und in der »Verlobung« vom »Einverständnis« zwischen Gustav und seiner Braut Mariane (SW II,174), also jeweils einem geheimen, staatlich nicht geduldeten »Einverständnis«, das öffentlicher Rechtsverfolgung ausgesetzt ist. Die

schöne Formulierung von dem *zärtlichen Einverständnis*
dürfte eine einmalige Prägung von Kleist sein, die dennoch
nicht im Grimmschen Wörterbuch zitiert ist, weil Kleists
Erzählungen dort ohnehin stiefmütterlich behandelt sind.
Während Grimm laufend Belegstellen aus Kleists Dramen
zitiert, sind die Erzählungen kaum berücksichtigt.

51,13 *geheime Bestellung:* heimliche Verabredung, Mittei-
lung (ungewöhnlicher Sprachgebrauch).

51,15 *hämische:* Erstdr.: *eigennützige*; hämisch: auf heimliche Art boshaft, hinterlistig, heimtückisch.
Aufmerksamkeit: Gemeint ist Achtsamkeit, gezieltes
Achtgeben, mit dem doppeldeutigen Nebensinn ›jeman-
dem eine höfliche Aufmerksamkeit erweisen‹, was durch
das Adjektiv *hämisch* einen zynischen Unterton erhält.

51,17 f. *Karmeliterkloster unsrer lieben Frauen vom Berge:*
Die Karmeliten sind einer der größten Bettelorden (benannt nach dem Berg Karmel in Israel, wo der Orden entstand). Der weibliche Zweig, die Karmelitinnen, wurde im
15. Jh. gegründet. Ein Karmeliterkloster gab es in Santiago
(belegt etwa bei Frezier, S. 135; s. S. 41); das Kloster lag
nahe dem Berg St. Lucien (vgl. Nr. 17 auf dem Stadtplan
von Santiago aus Frezier; Abb. S. 18 f.); der Name des
Klosters ist typischen spanischen Kirchen- und Kloster-
namen nachempfunden.

51,19 [Absatz:] Die Unterteilung in 31 Absätze wurde im
Rückgriff auf den Erstdruck von 1807 vorgenommen. Der
Text der Buchausgabe von 1810, der sonst hier zugrunde
liegt, ist nur in drei Abschnitte aufgeteilt: 51,2–58,23;
58,24–62,11 und 62,12–69,5. Vgl. dazu auch Kap. III, sowie Anm. zu 58,24, 59,22 und 62,12.
glücklichen: zentraler Begriff dieses Absatzes (vgl. 51,22:
seines vollen Glückes und 51,25: *die unglückliche Josephe*)
– wie überhaupt der gesamten Erzählung. Kleist schöpft
die Bedeutungsspanne von Zufalls-Glück über persönliche
Glück-Seligkeit und persönliches Glücks-Empfinden bis
hin zur Dialektik von Glück und Unglück voll aus. Vgl.
weiter 58,15 und 58,21 sowie die Anm. zu 51,25 und 55,36.

Zu denken ist auch (mit erheblichen Differenzen) an den frühen »Aufsatz, den sichern Weg des Glücks zu finden« (SW II,301–315).

Zufall: vgl. ebenso 52,34, 53,13 und 68,34. Die Bedeutung des Zufalls für Kleists Erzählen erörtern Herrmann sowie neuerdings Hamacher (in Wellbery, S. 151 ff.).

51,21 *Klostergarten:* vgl. Anm. zu 58,12.

51,23 *Fronleichnamsfeste:* von mhd. »vrôn, frôn« ›Herr, heilig, hehr‹ und »lîchnam« ›lebendiger Leib‹; der Leib des Herrn (»corpus dominum Jesu Christi«) bezeichnet die geweihte, in den Leib Jesu verwandelte Hostie. Das Fest wird begangen zur Verherrlichung des Wunders der Transsubstantiation am Donnerstag nach Trinitatis, dem 2. Donnerstag nach Pfingsten. Seit Luther das Fest als schriftwidrig und gotteslästerlich verdammte, erhielt es eine provokatorische und propagandistische Bedeutung in der katholischen Kirche; es ist mit seinen Prozessionen zum glänzendsten und volkstümlichsten katholischen Fest geworden. Kleist beschreibt übrigens eine Prozession in Würzburg (SW II,556) und in der »Heiligen Cäcilie« soll der Bildersturm am Fronleichnamstag stattfinden. Kleist geht es bei der Wahl des Tages wohl insbesondere um die ironische Korrespondenz zwischen der Geburt von Josephes Sohn, des Kindes der Sünde, und dem Fest zur Verherrlichung der Leibwerdung. Jedenfalls hat Kleist den Tag gezielt gewählt ohne Rücksicht auf die zeitliche Unstimmigkeit zu dem später folgenden Erdbeben, das de facto am 13. Mai 1647 sich ereignete.

51,24 *Novizen:* sich dem Klosterleben widmende Personen während der Probezeit.

51,25 *unglückliche:* so auch 58,37 f. und 63,6; vgl. *Unglück:* 59,37, 61,4, 62,19, 63,34, 68,21 und 68,30 sowie die Anm. zu 51,19 und 55,36.

51,26 *Glocken:* zentrales Motiv der Erzählung, vgl. insbes. 52,30, 54,26 und 59,27 ff. Die Schwierigkeiten, die Bedeutung des Glockenklanges zu verstehen (ob sie die Stimme Gottes oder der Kirche oder eine andere verkünden), hat

Kleist andernorts mit ironisch-komischer Leichtigkeit behandelt, in der Anekdote »Der Branntweinsäufer und die Berliner Glocken« (SW II,267).

51,26 f. *Kathedrale:* Hauptkirche, Dom am Sitz eines Bischofs oder Erzbischofs. Die Kathedrale von Santiago, die Kleist später in *Schutt* fallen läßt (vgl. Anm. zu 56,29–33), wurde beim Erdbeben nur beschädigt (vgl. den Bericht des Bischofs Villarroel in Kap. II,1, S. 38).

51,31 *aus den Wochen erstanden:* aus dem Wochenbett, dem Kindbett auferstanden (verkürzt aus »den 6 Wochen«, d. i. der Zeitraum, während dessen ehemals die Kindbetterinnen Bett und Zimmer zu hüten hatten).

51,32 *Erzbischofs:* Santiago war seit 1561 Bistum, hatte also nur einen Bischof; erst 1840 wurde es Erzbistum. Kleists Vorliebe für Erzbischöfe scheint sprachlich bedingt zu sein, die Vorsilbe »Erz-« gebraucht er auch sonst gern.
geschärfteste: Superlativ von »geschärft«. Kleist suggeriert mit der Sprachform einen juristischen terminus technicus, der so nicht belegt ist. »Scharf, geschärft« im Zusammenhang mit Prozessen besagte: unter Anwendung der Folter; hier also: unter schärfster, unnachgiebigster Anwendung der Folter.

52,2 *der Wunsch:* Erstdr.: *der geheime Wunsch.*

52,5 *klösterliche Gesetz:* Kirchenrechtlich gesehen, hat Josephe gegen das Keuschheitsgebot verstoßen. Der unnachsichtigen Strafverfolgung wird der (rechtlich sonst kaum erhebliche) Verstoß freilich erst durch die skandalöse Öffentlichkeit der Mutterwehen am Fronleichnamstag ausgesetzt.

52,6 *Feuertod:* übliche Strafe bei Zauberei, Ketzerei, schwerer Unzucht usw. Sinn der Strafe war nicht allein der Tod, vielmehr sollte der Leichnam zu Asche verbrannt und damit jede Erinnerung ausgemerzt werden. Öffentliche Verbrennungen, sog. Autodafés, wurden besonders von der spanischen Inquisition veranstaltet. Dort galt das vorherige Erdrosseln als Gnade, die Enthauptung als große Gnade. (Vgl. S. 69 ff. die Passage aus Voltaires »Candide«.)

52,7 f. *Matronen:* von lat. »matrona« ›angesehene ältere ver-
heiratete oder verwitwete Frau‹, im Gegensatz zu den un-
verheirateten *Jungfrauen* (vgl. auch 60,36).

52,8 f. *Machtspruch:* Entscheidung, die nur durch die Macht
des Herrschers legitimiert ist.

52,9 *Vizekönigs:* von lat. »vice« ›anstelle‹; der Vizekönig
fungiert als Statthalter des spanischen Königs; zum geschichtlichen Hintergrund vgl. Anm. zu 51,2 *Königreich*.

52,11 f. *Man vermietete ... die Fenster:* ähnlich in Kleists
»Homburg« V. 987 f.: »Bestellt sind auf dem Markte schon
die Fenster, / Die auf das öde Schauspiel niedergehn« und
in Schillers »Piccolomini« V. 1123–25: »Sie hatten schon in
Wien / Die Fenster, die Balkons vorausgemietet, / Ihn auf
dem Armensünderkarrn zu sehn«. Auf weitere Parallelstel-
len verweist Kittler (in Wellbery, S. 33, Anm. 8). Fast
schon grotesk wirkt das folgende Bild – *man trug die Dächer der Häuser ab* –, für das kein historisches Vorbild
ermittelt werden konnte.

52,15 *göttlichen Rache:* Der Erzähler formuliert aus der
Sicht eines religiösen Weltbildes, das von der Vorstellung
des strafenden alttestamentarischen Gottes geprägt ist (vgl.
ähnlich »Verlobung«, SW II,171). Der Erzähler wertet dabei nicht selbst, sondern folgt den dubiosen, zweideutigen
und wechselnden Auslegungen der am Geschehen Beteiligten. Vgl. auch die Anm. zu 55,36 und 68,5.

52,19 *ungeheure Wendung der Dinge:* von Kleist häufig
benutzter Ausdruck, vgl. z. B. SW II,57,66,172,232,255.

52,21 *Fittig:* Flügel eines Vogels, hier metaphorisch gebraucht.

52,26 *Inbrunst:* vgl. Anm. zu 64,18.

52,28 *gefürchtete Tag:* ähnlich in der »Marquise« (vgl. SW
II,139).

52,30 f. *Josephen:* ältere schwache Beugung, ebenso 54,25,
63,20 und 28, 65,25 u. ö.; vgl. auch *Philippen* (69,3).

52,35 *wie schon gesagt:* eine der wenigen Einmischungen, in
denen sich der Erzähler zu erkennen gibt. Vgl. auch Anm.

¿No hubo remedio.

Francisco Goya: Capricho Nr. 24
»Es gab keine Hilfe« (1797/98).

zu 57,30 f. Zu Kleists Erzählweise vgl. bes. die Arbeiten von Holz, Kayser, Müller-Salget und Tiedemann.

53,1 *Gesimse:* oberer Rand von Säulen oder Pfeilern.

derselben: korrekt: desselben (bezogen auf den Wandpfeiler); schwerlich dürfte das »Gesimse der Welt« gemeint sein (so Hoverland, S. 180).

53,2 *als ob:* zentrale, immer wiederkehrende Formulierung in dieser Erzählung: 53,5, 54,19, 55,2, 56,15, 57,21, 59,28, 61,4, 61,14, 63,29 und 65,15 f. Die Struktur des Erzählens wird durch das »als ob« bestimmt, vgl. dazu die Untersuchungen von Müller-Seidel und Wittkowski.

53,6–8 *hielt er ... umzufallen:* womöglich Reminiszenz an die Schlußzeilen von Goethes »Tasso«, V. 3452 f.: »So klammert sich der Schiffer endlich noch / Am Felsen fest, an dem er scheitern sollte«. Vgl. eine ähnliche Formulierung im Kantkrisenbrief (SW II,629).

53,13 *zufällige Wölbung:* Hier liegt das Bild des Gewölbes zugrunde, das nur hält, »weil alle Steine auf einmal einstürzen wollen«, das Kleist für sehr bedeutsam erachtete (vgl. SW II,593 und »Penthesilea«, V. 1349 f.). Abweichend wird die erdbebensichere Bauweise der Städte bei Molina beschrieben (vgl. S. 45 ff.).

53,14 *sträubenden:* Die Partizipialform des Verbs kann wie ein Adjektiv gebraucht werden (vgl. SW II,198 und 223).

53,21 *Besinnungslos:* Ohne Besinnung auf das, was zu tun ist, ohne klaren Gedanken; ähnlich 56,6 *die Besinnung kehrte ihr bald wieder;* anders 57,3: ohnmächtig.

53,30 *Mapochofluß:* eigtl.: Mapocha, Nebenfluß des Maypo (südlich von Santiago). Kleists Schreibweise entspricht der üblichen im 18. Jh. (vgl. etwa S. 44).

53,36 f. *streckte sprachlos zitternde Hände zum Himmel:* Das Bild wird mehrfach im Text gebraucht; vgl. die demagogische Strafpredigt des Chorherrn: *seine zitternden, vom Chorhemde weit umflossenen Hände hoch gen Himmel erhoben* (64,25 f.) und Don Fernando nach dem Tod seines Sohnes: *hob, voll namenlosen Schmerzes, seine Augen gen Himmel* (68,17 f.). Das Bild hat wohl topischen

Charakter im Zusammenhang mit Katastrophenbeschreibungen. Es findet sich z. B. auch in der Schrift »Système de la Nature« von Paul Thiry d'Holbach (1723–89), die 1770 zuerst unter fingierter Autorschaft erschien. Im 5. Kapitel des 1. Teils untersucht d'Holbach die Prinzipien von Ordnung, Unordnung und Zufall in der Natur, und beschreibt die Reaktion der Menschen auf die vermeintliche Unordnung von Naturkatastrophen, darunter Erdbeben: »Dann rufen die erschrockenen Sterblichen laut nach Ordnung und heben ihre zitternden Hände zu dem Wesen empor, das sie für den Urheber dieser Unordnung halten, während diese betrüblichen Unordnungen Wirkungen sind, die durch natürliche Ursachen hervorgerufen werden, was nach feststehenden Gesetzen geschieht.« (Paul Thiry d'Holbach, »System der Natur«, übers. von Fritz-Georg Voigt, Frankfurt a. M. 1978, S. 60.)

54,1 *Tor:* Stadttore werden in den zeitgenössischen Beschreibungen von Santiago nicht erwähnt (vgl. 54,32 u. ö.). *Hügel:* der St.-Lucien-Berg vor Santiago wird in mehreren zeitgenössischen Berichten erwähnt, so z. B. bei Frezier: »Von welchem Hügel man auff einmahl die gantze Stadt mit ihrer gantzen gewiß recht anmuthigen Gegend übersiehet« (S. 131). Vgl. auch die »Vue de la petite montagne de Ste. Lucie« auf dem Stadtplan von Santiago aus der französischen Ausgabe von Frezier (2. Aufl., Paris 1732), Abb. S. 18 f.

54,7 f. *unwissend, was er aus seinem Zustande machen sollte:* Ähnliche Wendungen werden mehrfach gebraucht; vgl. 54,13 f. *er begriff nicht* (ebenso 55,8 f.); 55,27 *unschlüssig, was er tun sollte;* 59,25 f. *so wußten sie nicht, was sie von der Vergangenheit denken sollten;* 63,6 *sie wisse nicht;* 68,31 f. *weil er auch nicht wußte;* 69,4 *so war es ihm fast.*

54,9 *Westwind:* In der zeitgenössischen Landesbeschreibung von Molina wird ein solcher vom Meer wehender Wind ausdrücklich erwähnt: »Der Südwind weht doch aber in diesem Lande nicht den ganzen Tag über mit gleicher Heftigkeit, er wird schwächer [. . .]. Gegen Mittag, wann er ganz schwach ist, erhebt sich vom Meer her ein frisches Lüftchen, welches ohngefähr zwey Stunden dauert. Die Landsleute nennen ihn Zwölfuhrwind (Venticello delle dodici) [. . .].« (Molina, S. 20 f.)

54,11 *blühende Gegend:* Frezier spricht von der »anmuthigen Gegend«, die man vom St. Lucien – Berg erblickt (s. Anm. zu 54,1 *Hügel*).

54,26 *dort:* Erstdr.: *darin.*

54,30 *das Wesen:* Den Ausdruck gebraucht Kleist nur an dieser Stelle für das göttliche Wesen. Ähnlich heißt es bei d'Holbach: »heben ihre zitternden Hände zu dem Wesen empor, das sie für den Urheber dieser Unordnung halten« (s. Anm. zu 53,36 f.). Zur Frage der göttlichen Intention, die in das Erdbeben hineingelegt wird, vgl. insbes. die Anm. zu 55,36 *Wunder des Himmels,* sowie vorher die Anm. zu 51,26 *Glocken* und 52,15 *göttlichen Rache.*

54,35 *umständliche:* ausführliche, genaue.

55,4 *Zeit:* Erstdr.: *Zeiten.*

55,12 f. *Eichen entwurzelt:* eine Variante des bekannten Eichen-Bildes, das sich mehrfach bei Kleist findet: »Die abgestorbne Eiche steht im Sturm, / Doch die gesunde stürzt er schmetternd nieder, / Weil er in ihre Krone greifen kann.« (»Penthesilea«, Schlußverse 3041–43); vgl. ebenso schon SW II,678 und »Schroffenstein« V. 961–963.

55,31 *Kind . . . zu reinigen:* Anspielung auf die christliche Taufe.

seinen: korrekt: ihren (auf *Quelle* bezogen).

55,32 *Ahndung:* ältere Schreibung von »Ahnung« (ebenso 63,7).

55,33 *Mutter Gottes:* doppeldeutige Formulierung: der Ausruf der Überraschung und des Dankes kann auch als Anrede auf Josephe bezogen werden; vgl. Fitschen, S. 51.

55,36 *die Unglücklichen:* vgl. 65,5 sowie Anm. zu 51,19 *glücklich* und 51,25 *unglücklich.*

Wunder des Himmels: In der pathetischen Wertung des Erzählers wird die Deutungsperspektive von Jeronimo und Josephe aufgenommen. Vgl. ebenso 56,15 f., 56,25,

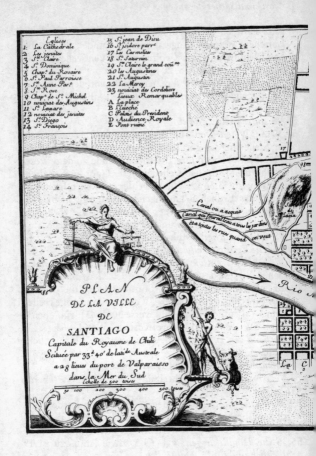

Eglises
1: La Cathédrale
2: Les Jesuites
3: S.te Claire
4: S.t Dominique
5: Chap.e du Rosaire
6: S.t Paul Paroisse
7: S.te Anne Par.se
8: S.t Roce
9: Chap.e de S.t Michel
10: novic.at des Augustins
11: S.t Lazare
12: novic.at des jesuites
13: S.t Diego
14: S.t François
15: S.t Jean de Dieu
16: S.t Isidore parr.e
17: Les Carmelites
18: S.t Saturnin
19: S.te Claire le grand coü.ne
20: Les Augustines
21: S.t Augustin
22: La Mercy
23: noviciat des Cordeliers
lieux Remarquables
A: La place
B: Fléche
C: Palais du President
D: Audience Royale
E: Pont ruiné

PLAN
DE LA VILLE
DE
SANTIAGO
Capitale du Royaume de Chili
Scituée par 33.d 40' de lat.de Australe
a 28 lieues du port de Valparaisso
dans la Mer du Sud
Echelle de 500 toises
50 100 200 300 400 500 toises

Canal ou acequia
Canal qui fournit l'eau a tous les jardins
et a toutes les rües quand on veut

Rio M...

La C...

Stadtplan von Santiago (Anfang des 18. Jh.s).

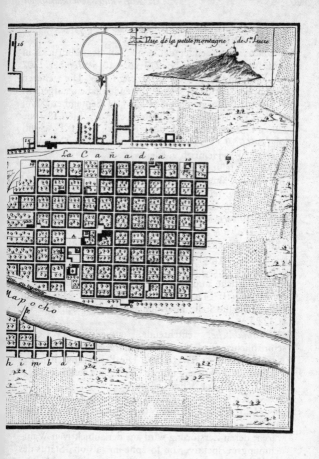

Vue de la petite montagne de S.t Lucie

La Cañada

Mapocho

himba

60,29 und 62,19 (aus kirchlicher Perspektive). Vgl. vorher
Anm. zu 52,15 und 54,30.

55,37 *hatte!:* Hier endet der erste Teil des Abdrucks in
Cottas »Morgenblatt« Nr. 217 vom 10. September 1807
mit dem Hinweis: »Die Fortsetzung folgt«. Die weiteren
Folgen des Erstdrucks sind folgendermaßen aufgeteilt:
56,1–59,15 (»Morgenblatt«, Nr. 218, 11. September 1807);
59,16–62,20 (Nr. 219, 12. September); 62,21–66,18 (Nr.
220, 14. September; mit dem Hinweis »Der Beschluß
folgt«); 66,19–69,5 (Nr. 221, 15. September mit der Ver-
fasserangabe »Heinrich v. Kleist«).

56,5 *hierauf:* fehlt im Erstdr.

56,8 *hülfloser:* ältere Schreibung von »hilfloser«.

56,11 *angelobt:* feierlich versprochen.

56,13 f. *unerschrocken durch den Dampf:* Erstdr.: *durch den
Dampf unerschrocken.*

56,15 f. *als ob alle Engel des Himmels sie umschirmten:* Das
Motiv findet sich auch im »Käthchen«: »Käthchen tritt
[. . .] durch ein großes Portal [. . .]; hinter ihr ein Cherub in
der Gestalt eines Jünglings, von Licht umflossen, blond-
lockig, Fittiche an den Schultern und einen Palmzweig in
der Hand« (III/14 nach V. 1887). Kreutzer (S. 248) hat auf
eine verwandte Stelle im »Kohlhaas« hingewiesen (vgl. SW
II,32 f.).

56,21 *schmähliche:* entehrende, erniedrigende; eines
schmählichen Todes sterben: feste Redewendung nach
Adelung (so auch SW II,254). Die Bedeutung changiert
zwischen dem aktiven Zufügen von Schmach und dem pas-
siven Erleiden von Schmach.

56,29–33 *Kathedrale . . . Palast . . . Gerichtshof . . . väterli-
ches Haus:* Kleist reiht hier offensichtlich diejenigen Insti-
tutionen aneinander, die an Josephes Verurteilung beteiligt
waren; deren Zerstörung wird aus der subjektiven Wahr-
nehmungsperspektive von Josephe im »als ob«-Status des
objektiv Erzählten beschrieben. Übrigens stimmen die Gebäude mit denen überein, die zeitgenössischen Berichten
zufolge an der Plaza von Santiago standen. Frezier (vgl.

S. 41) erwähnt die Kathedrale (»Stiffts-Kirche«), den Palast
des Präsidenten (d. i. des Vize-Königs) und die Königliche
Justiz-Kammer, ferner das Gefängnis (das hier in 57,1
folgt); Vidaurre fügt noch Privathäuser hinzu, die Frezier
nicht erwähnt (vgl. S. 44).

56,34 *kochte ... aus:* Immanuel Kant erwähnt in seiner
Beschreibung der Auswirkungen des Erdbebens von Lissabon (vgl. Kap. II,2) häufig rote oder rötliche Dämpfe, die
aufgetreten seien. In Kleists Formulierung schwingt freilich ein infernalisch-ironischer Unterton mit.

56,37 *Beute:* Gemeint ist ihr Kind. Ähnlich »Marquise« (SW
II,126): »sie küßte häufig die Kinder, diese ihre liebe
Beute«.

57,4–6 *doch ... hatten:* Erstdr.: *doch der Sturz in demselben
Augenblick, eines Gebäudes hinter ihr, das die Erschütterungen schon ganz aufgelöst hatten, jagte sie.*

57,13 *Scheidewege:* Kreuzung.

57,16 *Gewühl:* Gedränge.

57,22 *Eden:* der Garten Eden, das Paradies (aber auch der
Ort des Sündenfalls, der Erkenntnis, als solcher häufig bei
Kleist, z. B. im Gespräch »Über das Marionettentheater«).
In der Forschung ist mehrfach, zuletzt insbesondere von
Altenhofer (in Wellbery, S. 50), darauf hingewiesen worden, daß Kleists Erzählung in säkularisierter Umkehrung
am Ablauf der biblischen Heilsgeschichte orientiert ist: auf
die Leibwerdung am Fronleichnamstag folgt die Apokalypse des Erdbebens, darauf das Paradies mit der Vereinigung der heiligen Familie, schließlich der stellvertretende
Opfertod und die Errettung des Kindes (vgl. auch Anm. zu
60,4 f. und 64,30).

57,26 *verschloß:* Erstdr.: *verstopfte.*

57,30 f. *wie nur ein Dichter davon träumen mag:* Einschaltung des Erzählers, die den poetisch-(schönen), aber
ebenso den fiktional-(trügerischen), nicht realen Status der
folgenden Beschreibung hervorkehrt. Vgl. auch Anm. zu
58,3. Ähnliche Vergleiche schon in brieflichen Beschreibungen der Rhein-Landschaft: SW II,669 f. und 674: »eine

Gegend, wie ein Dichtertraum.« Die Doppelbödigkeit von Fiktionalität und Schönheit kehrt Kleist mehrfach hervor, wenn er den Vergleich mit einem Dichter heranzieht, z. B. »Schroffenstein« (V. 1663 »Minnesänger«), »Käthchen« (V. 676 »Reimschmied«).

57,33 *Lager von Moos und Laub:* Die Idylle erinnert an J. J. Rousseaus Beschreibung des einfachen zivilisatorischen Naturzustandes (bes. z. B. im zweiten Teil des zweiten Diskurses »Über den Ursprung der Ungleichheit unter den Menschen«, 1755).

58,3 *Granatapfelbaum:* gehört wie die *Quelle* (vgl. 57,31) und die folgende *Nachtigall* als klassisches Requisit zum Topos des ›lieblichen Orts‹, des ›locus amoenus‹. Das gewollt Stilisierte dieses weitverbreiteten literarischen Topos wird einleitend vom Erzähler signalisiert: *wie nur ein Dichter davon träumen mag.* Steht in der christlichen Mythologie der Granatapfelbaum als Baum der Erkenntnis im Paradies (vgl. Anm. zu 57,22), so ist in der griechischen Mythologie der Granatapfel verbunden mit Persephone und ihrer Unterwelt (vgl. Kittler in Wellbery, S. 33).

58,5–8 *Hier . . . ruhten:* Das beschriebene Bild erinnert an das bes. in der Renaissance-Malerei verbreitete Motiv der »Anna Selbdritt«. Dargestellt wird die heilige Anna, Marias Mutter, in ihrem Schoß Maria und in deren das Jesuskind. Am bekanntesten ist wohl das Gemälde von Leonardo da Vinci (1452–1519) »Hl. Anna Selbdritt« (1501–07), vgl. Abb. 23. Übrigens erwecken mehrere bildhafte Beschreibungen im »Erdbeben« den Eindruck, daß sie dem Vorbild von Gemälde-Darstellungen nachgeprägt sind.

58,8 f. *Der Baumschatten . . . hinweg:* Ohne wohl von Kleist beeinflußt zu sein, hat Walter Benjamin in seinem bekannten Essay »Das Kunstwerk im Zeitalter seiner technischen Reproduzierbarkeit« eine ähnliche Beschreibung gewählt, um die einmalige, nicht wiederholbare »Aura« einer Naturschönheit zu kennzeichnen: »An einem Sommernachmittag ruhend einem Gebirgszug am Horizont oder einem Zweig folgen, der seinen Schatten auf den Ruhenden wirft

Leonardo da Vinci: Hl. Anna Selbdritt (1501–07).

– das heißt die Aura dieser Berge, dieses Zweiges atmen«
(Walter Benjamin, »Gesammelte Schriften«, Bd. 1, Tl. 2,
Frankfurt a. M. 1974, S. 497). Benjamin hat Kleists Erzählungen allerdings sehr geschätzt (vgl. Kap. IV, Anm. 6), so
daß eine Reminiszenz nicht völlig auszuschließen ist.

58,11 *schwatzen:* hier ohne tadelnden Nebensinn gebraucht;
es bezeichnet eine der vom Erzähler als positiv ausgewiese-
nen Weisen des Erzählens, die vor allem Rührung hervor-
ruft. Vgl. 57,23, 58,13 und 60,21 ff. Kontrastiv dagegen
steht die *priesterliche Beredsamkeit* (64,35), die demagogische Rede. Vgl. auch Anm. zu 61,8.

58,12 *Klostergarten:* Die Wiederaufnahme des Motivs an
dieser Stelle verweist auf die Parallelität des ersten – verbo-
tenen – Glücks im *Klostergarten* (51,21) und desjenigen im
»als-ob«-Tal oder Garten von Eden. Im Erzählen der beiden wird zudem eine Kausalkette zwischen dem Glück im
Klostergarten und den folgenden Gefängnissen hergestellt.
Dies weist voraus auf die Wiederholung am Ende in der
demagogischen Predigt des Chorherrn (65,6 f.), die Kleist
dort leitmotivisch setzt.

58,17 *La Conception:* Hauptstadt der gleichnamigen Provinz in Mittelchile. Kleist dürfte diesen Ort wegen der
Mehrdeutigkeit des Namens gewählt haben.

58,20 *nach Spanien einzuschiffen:* mit dem Schiff nach Spanien zu fahren. Hier entsteht die Situation der Rückauswan-
derung zurück in die alte Welt Europas (die noch schlimme-
ren Verhältnisse in der Neuen Welt erzwingen die Rückkehr) – dies Motiv könnte ein Grund für die Ortswahl
gewesen sein (sonst hätte die Geschichte z. B. auch in Lissabon spielen können). Dasselbe Motiv findet sich in der
»Verlobung in St. Domingo« (vgl. SW II,175); umgekehrt,
als Auswandern in die Neue Welt, z. B. im »Kohlhaas«
(SW II,76). Überhaupt hat Kleist, der gegenüber Preußen
zeit seines Lebens oft und lange im Exil war, häufig über
das Motiv des Auswanderns nachgedacht; so schrieb er in
einem Brief an seine Schwester Ulrike vom 25. November
1800: »und wenn er [der König] meiner nicht bedarf,

so bedarf ich seiner noch weit weniger. Denn mir möchte es nicht schwer werden, einen anderen König zu finden, ihm aber, sich andere Untertanen aufzusuchen.« (SW II,601.)

58,24 [Absatz:] Hier beginnt der zweite Abschnitt des Textes in der Buchausgabe.

58,26 f. *Morgenbrot:* Frühstück (wie 59,9).

58,32 *unter den Bäumen beschädigt:* Erstdr.: *beschädigt unter den Bäumen.*
beschädigt: verwundet (so 59,16), verletzt (wie 56,17 *unbeschädigt:* unverletzt).

58,37 *jener:* Erstdr.: *der.*

59,1.4 [Setzung von Anführungszeichen:] Kleist setzt nur unregelmäßig Anführungszeichen; hier für ein Redestück Josephes, später bei Don Fernando: 65,14 und 17 sowie 66,26 und 33. Gegenüber dem Erstdruck neu eingefügt sind dort die Anführungszeichen in 65,27 f. und 66,31 f. Kleist beschränkt sich also nicht auf Worte seines »Helden Fernando« (so Sembdner, SW II,903).

59,4 *mitzuteilen:* abzugeben, zu teilen (ebenso 61,3 f.). Im älteren Sprachgebrauch im Sinne von ›Mildtätigkeit‹ üblich. Girard (in Wellbery, S. 145) sieht hierin eine Analogie zum anfänglichen Fronleichnamsfest, insofern Josephes Gabe an die Gemeinschaft ihr Leib ist (vgl. Anm. zu 51,23).

59,5 *Fremdling:* hier das fremde, nicht eigne Kind. Wiederaufgenommen ist der Ausdruck am Ende (69,2) – dort dann für Josephes Sohn Philipp, der an die Stelle des ermordeten Juan tritt.

59,8 *verfügen:* förmlich für »begeben«. Auch im folgenden greift der Erzähler zu dezidiert förmlichen Ausdrücken in Nachahmung einer adlig-zeremoniellen Sprache; vgl. *Anerbieten* für »Angebot« (59,10) usw. Die frühere Interpretation von Wittkowski unter dem Begriff der »Noblesse« hat Fischer neuerdings korrigiert.

59,18 *abgehärmten:* ausgemergelten, unterernährten, abgemagerten.

59,22 [Gedankenstrich:] Kleist hat hier (und in 64,2) einen

Gedankenstrich an die Stelle des früheren Absatzes im Erstdruck gesetzt; Sembdner behält ihn trotz der Wiedereinführung der ursprünglichen Absatzunterteilung bei. Solche Widersprüche lassen sich bei dem Textgemisch von Buchausgabe und Erstdruck schwerlich vermeiden. Der Gedankenstrich am Absatzende in 66,18 entspricht allerdings dem Erstdruck (irreführend ist der Hinweis in der Nachbemerkung zur »Textgestalt«, S. 70).

59,33 *Schauspiel:* fehlt im Erstdr., dort: *auf den gestrigen Morgen.* Kleist nimmt die Formulierung aus 52,14 nochmals auf.

60,4 f. *Weibern . . ., die . . . niedergekommen seien:* Wiederaufgenommen wird hier das Skandalon ›öffentlichen‹ Gebärens (vgl. Anm. zu 52,5). Ähnliche Bilder finden sich im Neuen Testament: »Weh aber den Schwangeren und Säugerinnen zu der Zeit!« (Mt. 24,19; Mk. 13,17; Lk. 21,23.) Fischer weist darauf hin, daß die Bibel auf den Kopf gestellt werde: »So öffnen sich am von den Mönchen apokalyptisch verkündeten Ende der Welt nicht die Gräber, sondern die Frauen kommen vor den Augen der Männer nieder.« (Vgl. Anm. zu 57,22.)

60,37 *Tagelöhner:* wer um Tagelohn arbeitet, Gelegenheitsarbeiter. In engerer Bedeutung: nicht zu einer Zunft gehörige Handarbeiter.

61,5 *einer Familie:* In der neueren Forschung wird diese Passage (mit der Kulmination im Begriff »*einer* Familie«) immer wieder als Kernstück der Kleistschen Gesellschaftsutopie zitiert. Hamacher (in Wellbery, S. 160) hat auf das Vorbild der Rousseauschen Gesellschaftsutopie in der »Nouvelle Heloise« (bes. im Erntefest) hingewiesen. Zu bedenken ist dabei jedoch sowohl der Status des »als ob«, in dem Kleist erzählt, als auch das Trügerische einer möglichen Gründung der Gesellschaft auf das Prinzip *einer* Familie, denn mehr als die »heilige Familie« kennt Kleists Dichtung den Terror der Familie (etwa in der »Familie Schroffenstein«, der »Marquise von O . . .« und im »Findling«).

61,8 *erzählte:* Wie im *schwatzen* (vgl. Anm. zu 58,11) thematisiert Kleist in dieser Erzählung mehrfach das Erzählen. Wittkowski (S. 249 f.) und andere Interpreten nivellieren die Differenz zwischen Kleists Erzählen und dem erzählten Erzählen von Römergröße.

61,10 *Römergröße:* Im antiken Vorbild klingt das Klassische auf (das nicht Kleists Sache war), vielleicht auch das Vorbild, das die Französische Revolution in der römischen Republik suchte.

61,12 *Verachtung:* Nichtbeachtung (in dieser ursprünglichen, älteren Bedeutung laut Grimm nicht belegt).

61,14 *dem nichtswürdigsten Gute:* einer Sache von vergleichbar geringstem Wert. Hier konträr zum gängigen Topos: das Leben ist das höchste Gut.

61,20 *sie:* es wird nicht deutlich, ob Kleist dort wieder an Josephe denkt, oder das *sie* auf *Menschenbrust* (61,19) bezogen wissen will.

61,25 *erschöpft:* erschöpfen: »alles sagen, was bey oder von einer Sache zu sagen ist« (Adelung).

61,27 *Granatwaldes:* In den meisten Zusammensetzungen steht »Granat(en) –« in der Bedeutung ›Granatapfelbaum‹; (in den Wörterbüchern nicht belegt).

61,31 *seiner Sache:* gemeint ist wohl so etwas wie sein Rechtsanliegen, nur wird nicht gesagt, welchem Rechtsanliegen sich der Vizekönig günstig gezeigt habe.

61,32 *Fußfall:* Kniefall als Zeichen der demütigen Bitte.

62,4 f. *für den besten:* im besten Fall.

62,8 *Maßregel:* Regel für die Art und Weise eines Verfahrens; hier wohl im Sinne von Vorsichtsmaßnahme (ebenso 65,18).

62,10 *Gängen:* Gemeint sind Laubengänge (vgl. 61,27: *Lauben des Granatwaldes*).

62,11 *Gesellschaft:* hier doppeldeutig gesetzt; unmittelbar gemeint ist die kleine adlige Gesellschaft der Familie Ormez (so auch zuerst 59,8 und weiter 62,22 f., 63,1, 63,21, 67,8 f.), zugleich ist aber die Rückkehr zur Gesamtgesellschaft (aus der paradiesischen Zweisamkeit) mit gemeint.

62,12 [Absatz:] Hier beginnt der dritte und letzte Abschnitt des Textes der Buchausgabe.

62,16 *Dominikanerkirche:* zu einem Dominikanerkloster gehörige Kirche. Die Dominikaner sind ein Predigerorden, der durch systematische Verkündigung und Verteidigung der katholischen Wahrheit dem Heil der Seelen zu dienen sucht. Die Existenz einer Dominikanerkirche in Santiago ist belegt durch Villarroel, Frezier, Vidaurre (vgl. Kap. II,1) und den Stadtplan von Santiago (s. Abb. S. 18 f.).

62,17 *verschont:* In der subjektivierenden Formulierung suggeriert der Erzähler geradezu eine Absicht des Erdbebens, alle anderen Kirchen zu zerstören. Tatsächlich blieb nur eine Kirche beim Erdbeben von Santiago stehen, es war aber nicht die der Dominikaner (vgl. S. 38 den Bericht des Bischofs Villarroel).

62,18 *Prälaten:* eigtl.: der kirchlich Obere; in manchen Chorherrenstiften für den Ordensoberen üblich; häufiger reiner Ehrentitel.

62,19 *ferneren:* weiteren.

62,26 f. *Unheil ... in der Kirche:* Darüber wird im Text nichts gesagt. Vielleicht denkt Kleist an die Hinrichtung, die gestern bevorstand, die allerdings auf einem *Richtplatz* (52,31), nicht in der Kirche, stattfinden sollte. Mit der Unstimmigkeit wird jedenfalls auf das kommende Unheil in der Kirche vorausgewiesen.

62,34 f. *unbegreifliche ... Macht:* Der Terminus weist auf den verborgenen Gott, den deus absconditus. Vgl. Kleists Briefe an Altenstein und Rühle (SW II,766 und 768): »Es kann kein böser Geist sein, der an der Spitze der Welt steht: es ist ein bloß unbegriffener!«

63,3 f. *mit heftig arbeitender Brust:* infolge innerer Erregung schwer atmend.

63,8 *forderte:* in der Buchausg. (und im Erstdr.) die ältere Schreibung *foderte,* die Erich Schmidt wohl zu Unrecht in *forderte* korrigierte. 67,11 hat demgegenüber *forderte.*

63,18–20 *Arm ... Constanzen:* Erstdr.: *Arm, und Jeronimo, welcher den kleinen Philipp trug, Donna Constanzen.*

63,22 *Ordnung:* Wellbery (in Wellbery, S. 85) hat den Sub-
stitutionsvorgang, der in dieser Ordnung entstanden ist,
am gründlichsten untersucht: Josephe ist an die Stelle Elvires getreten (der Mutter Juans und der Gattin Don Fernandos); so wie sie zur stellvertretenden Mutter Juans wird,
tritt Juan an die Stelle ihres Sohnes Philipp. Vgl. dazu auch
Altenhofer (in Wellbery, S. 47), der auf die Parallele zwischen dem *Zug* zur Kirche und dem anfänglichen *Hinrich-
tungszug* (vgl. 52,12) aufmerksam macht.

63,37 *Röte des Unwillens:* Kleist gebraucht die körper-
sprachlichen Signale des Errötens oder Erblassens (hier
z. B. 65,35) sehr häufig; vgl. dazu Dietmar Skrotzki, »Die
Gebärde des Errötens im Werk Heinrich von Kleists«,
Marburg 1971.

64,6 *vor den Portalen:* ältere Dativkonstruktion, der Kleist
öfter zuneigt.

64,7–10 *an den Wänden . . . Hand:* ähnlich im Gedicht »Der
Welt Lauf« (SW I,41): »Hoch an den Säulen hingen Knaben, / Und hielten ihre Mützen in der Hand.« Sembdner
vermutet, die Darstellung könne auf Eindrücke aus der
Würzburger Zeit zurückgehen (vgl. SW II,555 f.).

64,13 *Rose:* Eine vergleichbare Beschreibung einer Kirchen-
fensterrose findet sich in der »Heiligen Cäcilie« (vgl. SW
II,225).

64,18 *Inbrunst:* nach Adelung »besonders in der Theolo-
gie von einer heftigen überwiegenden Empfindung gegen
Gott [. . .] gebraucht, besonders so fern sich dieselbe im
Gebethe äußert; im Gegensatze der geistlichen Trägheit,
der Laulichkeit.« *Flamme der Inbrunst* ist in gewissem
Sinn gedoppelt, weil Inbrunst eigentlich die Hitze des Fie-
bers bezeichnet.
gen: poetische Kurzform von »gegen, zum« (ebenso
64,26).

64,23 *Chorherren:* Mitglieder der Canonici Regulares, einer
nach der Augustinerregel lebenden Priestergemeinschaft.
Festschmuck: über dem Chorrock getragene Pelzalmuzia,

Alois Kolb: Lithographie zum »Erdbeben in Chili«
(zu 64,22 ff.).

ein aus Kragen und Kapuze bestehendes Schultermäntelchen.

64,23 f. *angetan:* bekleidet.

64,24 f. *Lob, Preis und Dank:* stehende Formel in Predigten.

64,30 *Weltgericht:* auch »Jüngstes Gericht« oder »letzter Tag«. Vgl. bes. die Offenbarung des Johannes aus dem Neuen Testament. »Weltgericht« auch in SW I,27. (Vgl. Anm. zu 57,22.)

64,36 *Sodom und Gomorrha:* Städte am Toten Meer, die wegen der dort verübten Unzucht (Sodomie) von Gott durch einen Regen aus Feuer und Schwefel zerstört worden sein sollen. Sie gelten als Bild sittlicher Verkommenheit.

65,3 *Aber wie dem Dolche gleich:* Erstdr.: *Aber, dem Dolche gleich.*

65,6 f. *Frevels . . . in dem Klostergarten:* vgl. Anm. zu 58,12.

65,17 f. *diese sinnreiche:* Erstdr.: *die sinnreich.*

65,21 *Bürger:* Das Wort erinnert deutlich an den »citoyen«-Begriff der Französischen Revolution (ebenso 66,7 und 67,18). Kleist verläßt hier einen geschichtlichen Bezugsrahmen (die ›alte‹, feudalistische Welt Chiles) und weckt mit der Wahl dieses Begriffs Assoziationen an zeitgenössische Turbulenzen während der Französischen Revolution. Vgl. auch die Erzählung Gustavs in der »Verlobung« (SW II,173 f.).

65,24 *hier! . . . und zog:* Erstdr.: *zog ein Dritter, mit dem Ausrufe: hier! –*

65,24 f. *heiliger Ruchlosigkeit:* extrem widersprüchliche, in der Dialektik aber stimmige Formulierung. *Ruchlosigkeit:* Nichtbeachtung der Befehle eines Höheren, insbesondere der göttlichen Gesetze. Ruchlosigkeit kann innerhalb des christlichen Denksystems nicht heilig sein, ist es hier aber wegen der andersgearteten, an dem rächenden Gott des Alten Testaments orientierten kirchlichen Interpretation des Handelns. Die Strafverfolgung ist so heilig und ruchlos zugleich.

65,28 *der Jüngling:* Erstdr.: *er.*

65,29 *Ormez:* im Zuge dieser und der folgenden Bemühungen um Identifizierung nennt Kleist die vollen Namen, also Vor- und Familiennamen, vgl. 67,25 *Donna Constanze Xares*, auch den Marine-Offizier *Don Alonso Onoreja* (66,33 f.). Vermutlich hat Kleist die Nachnamen nach der Klangqualität gewählt.

65,29 f. *Kommandanten:* Kommandant: militärischer Befehlshaber einer Stadt. Das Amt eines Kommandanten ist in den Quellen nicht belegt und von Kleist wohl frei erfunden. Auch in der »Marquise« (häufig), der »Cäcilie« und SW II,269 und 295.

65,33 *kleinen Füße:* Peter Horn hat eine psychoanalytische Deutung dieses Motivs bemüht (vgl. Horn, S. 116); es geht Kleist aber wohl eher um die handwerklich-professionelle Kenntnis des Leibes, die mit der Kenntnis der Person einhergeht.

65,34 *zu:* von.

Trotz: hier: Herausforderung, Anmaßung, Drohung.

65,36 *schüchtern:* zaghaft, unsicher. Vgl. »Das Käthchen von Heilbronn«: »mit einigen schüchternen Blicken auf sein Antlitz« (V. 171 f.).

66,2 *Pedrillo:* sprachlich die Diminutivform von Pedro (so heißt der Vater von Elvire), was von Wellbery (in Wellbery, S. 85) folgendermaßen gedeutet wird: Josephe ist an die Stelle Elvires getreten, so wird sie in Stellvertretung für deren Vater Pedro von Pedrillo erschlagen (wie auch Jeronimo von seinem Vater erschlagen wird).

66,3 *Er:* veraltet für »Sie«. Ersetzte um 1700 die bis dahin gebräuchliche, aber umständliche Anrede mit »(mein) Herr« und Verb in der 3. Person.

66,15 *steinigt sie!:* Die archaische Strafe des Steinigens ist alttestamentarisch schon in 3. Mose 20 überliefert (dort bes. als Strafe für sexuelle Vergehen). In 3. Mose 20,2 wird das Kindesopfer an den heidnischen »Moloch« bei Strafe des Steinigens von Gott verboten. Müller-Salget (S. 192) verweist auf die Steinigung des »Erzmärtyrers Stephanus«.

66,15 f. *die ganze … Christenheit:* Erich Schmidt (»H. v. Kleists Werke«, Bd. 3, S. 309) hat diese Passage nicht als

Ausruf aufgefaßt, so daß nach den ersten drei anonymen Stimmen nun die ganze Christenheit rufen soll: »steinigt sie«. Man kann den Satz aber auch als Ausruf verstehen: alle sollen sich am Steinigen beteiligen. Der Ausdruck *Tempel Jesu* für Kirche evoziert wieder den Eindruck des archaisch Mythischen.

66,21 *Marine-Offizier:* Es dürfte freie Erfindung Kleists sein, den weltlichen Rechtsvollzug (und die Polizeigewalt) einem Marine-Offizier zu übertragen (geschichtlich ist die Funktion so nicht belegt). »Marine« ist erst Anfang des 18. Jh.s aus dem Französischen (»marine«) eingedrungen.

66,26 *Mordknechte:* niedrige Mörder. Kleist gebraucht Komposita mit »Mord« häufig: »Mordknecht« ebenso »Marquise« (SW II,105); »Mordgeheul«, »Mordkerl«, »Mordwüterich«, »Mordzug« usw.

67,1 *zu:* Erstdr.: *zum.*

67,3 *samt:* zusammen mit; heute nur noch redensartlich erhalten: samt und sonders.

67,19 *Vater:* In der Formulierung des Satzes wird nicht völlig deutlich, ob die Stimme nur vorgibt, Jeronimos Vater zu sein, was Lorenz annimmt (S. 280), oder ob er in der Tat von seinem eigenen Vater erschlagen wird, wie Horn die Stelle interpretiert (S. 116). Kleist dürfte es v. a. um das so entstehende doppelte Sohnesopfer gegangen sein.

67,20 *Keulenschlage:* Die Keule als Waffe (oder Mordinstrument) indiziert bei Kleist meist den Rückfall in archaisch-barbarische Zustände, vgl. z. B. Kohlhaas im Gespräch mit Luther: »und wer mir ihn [den Schutz der Gesetze] versagt, der stößt mich zu den Wilden in die Einöde hinaus; er gibt mir [. . .] die Keule, die mich selbst schützt, in die Hand« (SW II,45). Mehrfach auch in der »Herrmannsschlacht« (vgl. bes. V. 2219) und anderen Dramen. Zu Recht fragen Kittler und Schneider (in Wellbery S. 36 bzw. 123), woher die steinzeitliche Keule dort kommt, was Kittler über die entferntere Parallele zur »Herrmannsschlacht« statt über die nähere zum »Kohlhaas« aufzulösen sucht.

67,22 *Klostermetze:* Metze: Dirne, Hure.

67,26 f. *sucht die rechte auf:* findet die richtige.

68,1 *Darauf ganz:* Erstdr.: *Drauf, ganz.*

68,2 *besprützt:* bespritzt.

Bastard: uneheliches Kind.

68,5 *göttliche:* Das Attribut scheint eine deutliche – positive – Wertung des Erzählers nahezulegen, zumal im dialektischen Gegensatz zu *satanischen* (68,10). Zu bedenken ist allerdings, daß der Erzähler anfangs unbeteiligt von dem *Schauspiele* der Hinrichtung sprach, *das der göttlichen Rache gegeben wurde* (52,14 f.). Vgl. positiv wertend wieder: *göttlichen Aufopferung* (61,13). Vgl. Anm. zu 55,33.

68,8 *wetterstrahlte:* Dem Verb liegt das Substantiv Wetterstrahl (›Blitz‹) zugrunde, das Kleist häufig gebraucht – bis hin zum Namen »Friedrich Wetter von Strahl« im »Käthchen«.

68,9 *Bluthunde:* eigtl.: Jagdhunde, die abgerichtet sind, verwundetes Wild aufzuspüren; hier: blutgierige Menschen.

68,10 *Fürst der satanischen Rotte:* Zuvor hatte der Chorherr die Seelen von Jeronimo und Josephe *allen Fürsten der Hölle* übergeben (65,11).

Rotte: urspr. nur eine militärische Abteilung, Gruppe; hier in abwertendem Sinn: üble Schar, verbrecherische Bande (so öfter bei Kleist).

68,14 f. *Hierauf ... sich:* Erstdr.: *Hierauf ward Alles still, und entfernte sich.*

68,16 f. *mit aus dem Hirne vorquellenden Mark:* ähnliche Bilder auch in der »Verlobung« (SW II,194) und im »Findling« (SW II,214).

68,35 *treffliche:* vortreffliche.

69,2 *Fremdling:* vgl. Anm. zu 59,5.

69,4 *erworben:* Biblisch belegt ist »erwerben« in diesem Sinn nur im Zusammenhang mit anderen Gütern (»Esau nahm seine Weiber, Söhne und Töchter, seine Habe [...], so er [...] erworben hatte«, 1. Mose 36,6). Kleist hat den ungewöhnlichen Ausdruck wohl gewählt, um den sozialen und den natürlichen Akt vergleichend zusammenziehen zu können.

Alois Kolb: Lithographie zum »Erdbeben in Chili«
(zu 68,8).

II. Geschichtlicher und literarischer Kontext

Kleists Erzählungen sind im Vergleich zu seinen Dramen von der positivistischen Quellenforschung des 19. Jahrhunderts recht stiefmütterlich behandelt worden. Der ästhetische Rang dieser Prosa wird auch im 20. Jahrhundert nur zögernd begriffen; lange wirkt das Stereotyp von der angeblichen ästhetischen Höherwertigkeit der Dramen nach. So konnten zu den meisten Erzählungen von Kleist, insbesondere zum »Erdbeben in Chili«, bislang keine definitiven Quellen ausfindig gemacht werden. Im folgenden geht es uns nicht darum, diese Lücken der Forschung zu schließen und genau die Texte zu präsentieren, die Kleist als Vorlage für seine Erzählung benutzt hat. Wir sind vielmehr bemüht, den geschichtlichen und literarischen Kontext abzustecken, aus dem Kleist seine Kenntnisse schöpfen konnte bzw. die den Rahmen dessen bilden, was beim zeitgenössischen Leser als bekannt vorausgesetzt werden muß. Dies betrifft drei Bereiche: 1. Kleist muß, da er nie in Südamerika gewesen ist, Kenntnisse über Chile und Santiago anderweitig gewonnen haben. Die entsprechenden Möglichkeiten schreiten wir im ersten Abschnitt aus. 2. Wo immer im 18. und frühen 19. Jahrhundert von Erdbeben gesprochen wurde, war das berühmte Lissaboner Erdbeben von 1755 gegenwärtig, das eine heftige theologische und philosophische Debatte nach sich gezogen hatte, die in ihren Grundzügen mit Sicherheit auch Kleist bekannt war. Jedenfalls läßt seine Erzählung erkennen, daß in ihr jene philosophische Debatte mitschwingt. Die Texte von Voltaire, Rousseau oder Kant, die wir in diesem Zusammenhang darbieten, wollen also nicht im Sinn von unmittelbaren Quellentexten verstanden sein (wenngleich Kleist sie mit hoher Wahrscheinlichkeit kannte), sondern als mittelbare Kon-Texte. 3. Die philosophische Tradition, in der Kleists Erzählung mit ihrem Gehalt steht, eröffnet auch den Zugang zu der literarischen Gattungstradition, in der sie steht. Es ist die der französischen »contes moreaux«, der moralischen Erzählungen.

1. Zeitgenössische Berichte über Chile und das Erdbeben von Santiago 1647

Aus welcher Quelle Kleists Kenntnisse über Chile und das Erdbeben in Santiago vom 13. Mai 1647 stammen, ist nicht bekannt. Es ist denkbar, daß Kleist einen einschlägigen Artikel in einer der zahlreichen zeitgenössischen Popular-Zeitschriften gefunden hat (jedenfalls hat er derartige Artikel im Falle des »Robert Guiskard« und der »Verlobung in St. Domingo« als Vorlagen benutzt), doch konnte eine entsprechende Darstellung bisher nicht nachgewiesen werden. Es ist aber auch möglich, daß Kleist selbst Quellenstudien angestellt hat; gelegentlich, etwa beim »Michael Kohlhaas« oder beim »Zweikampf«, hat er auf alte und abgelegene Chroniken als Quellen zurückgegriffen. Sofern letzteres Verfahren in Frage kommt, können die Berichte über Chile im allgemeinen und das Erdbeben im besonderen, die Kleist bis 1806 zugänglich sein mochten, mit einiger Sicherheit überblickt werden (wobei, wie gesagt, die mögliche zeitgenössische Zeitschriftenliteratur unberücksichtigt bleibt). Alle Berichte über das Erdbeben selbst, die bis zu Kleists Zeit erschienen, müssen auf den erstmals 1656–57 erschienenen Augenzeugenbericht des Bischofs von Santiago, Gaspar de Villarroel, die »Relaciòn del terremoto que assolò la ciudad de Santiago de Chili«, zurückgehen. Zwar gab es daneben noch einen weiteren Augenzeugenbericht, den 1648 in Madrid gedruckten Brief eines Jesuitenpaters – der im großen und ganzen mit der Darstellung des Bischofs Villarroel übereinstimmt –, dieser Druck aber war im 18. Jahrhundert vermutlich unbekannt. Beide Berichte hat ALFRED OWEN ALDRIDGE in seinem Artikel »The Background of Kleist's ›Das Erdbeben in Chili‹« ausgewertet:

»Das Erdbeben begann am 13. Mai 1647 um 10.37 nachts. Alle Gebäude Santiagos brachen augenblicklich zusammen – so daß man den Lärm des Erdbebens nicht von dem der einstürzenden Gebäude unterscheiden konnte. Die Erschütte-

rung dauerte etwa zwölf Minuten;[1] während dieser Zeit war
der Himmel fast gänzlich durch Staubwolken verdunkelt, nur
gelegentlich drangen schwache Strahlen des Mondscheins
hindurch. Der Lärm war so groß, daß man ihn noch 50 Meilen[2] entfernt an den Cordilleren hören konnte, und sogar die
aufgeklärtesten Einwohner von Santiago dachten, das Jüngste
Gericht sei über sie gekommen.

Die eindrucksvolle Kathedrale, die – was ihren architektoni-
schen Rang betrifft – ohnegleichen in den beiden Amerikas
war, stand unerschüttert mit ihrem Mittelschiff und einem
Teil der Sakristei, doch der Rest wurde zerstört. Die anderen
Kirchen und Klöster in der Stadt, einschließlich der Dominikanerkirche, hatten weniger Glück. Alle lagen in Trümmern,
mit Ausnahme der Kirche, die dem heiligen Santurnino
geweiht war, der seither als Schutzheiliger der Stadt angesehen wurde, weil seine Kirche als einzige verschont blieb.

Nach dem ersten Schock der Katastrophe fingen die Stadtbe-
wohner an, sich durch die beiden einzigen unversperrten
Straßen zu der zentralen Plaza durchzuzwängen. Während
der ganzen Nacht kam es immer wieder zu Beben und übel-
riechende Wasser und große Mengen von Sand schossen aus
Spalten in der Erde hervor, obwohl Santiago 10 bis 12 Meilen
vom Ozean entfernt liegt. Während der Nacht liefen 40 oder
50 Priester in der Menge umher, nahmen die Beichte ab und
erteilten die Letzte Ölung. Gegen Morgengrauen feierten der
Bischof und der übrige Klerus eine fortdauernde Messe an
einem improvisierten Altar auf der Plaza. In der Nacht des
14. Mai wuchsen Angst und Schrecken der Bevölkerung bis

---

1 J. M. Gilliss, der einen anderen handschriftlichen Bericht des Bischofs Villar-
   roel ausgewertet hat, spricht von 7 bis 8 Minuten. (S. 94). Dieser andere
   Bericht von Villarroel, den A. Perry 1854 als »Documents relatifs aux trem-
   blements de terre au Chili« in der Zeitschrift »Annales des Sciences physiques
   et naturelles« veröffentlicht hat, wurde von Erich Schmidt für seine Kleist-
   Ausgabe 1904 berücksichtigt (Bd. 3, S. 436 f.). Da Schmidt das Buch von
   Villarroel nicht zugänglich war, nahm er an, daß gedruckte Berichte erst nach
   Kleists Tod erschienen waren, was noch in der jüngsten Kleist-Ausgabe von
   Siegfried Streller als gesichertes Faktum vorausgesetzt ist (Bd. 3, S. 654).
2 Nach Gilliss (S. 94) in 15 Meilen Entfernung vom Gipfel der Anden, d. h. nur
   etwa 75 km, statt 250 km entfernt.

zu einem solchen Grad, daß der Bischof anfing, im Friedhof der Kathedrale zu predigen, um die Leute zu beruhigen. Seine Predigt dauerte eineinhalb Stunden. Trotz der Schwachheit seiner Stimme und seines stark angegriffenen Gesundheitszustandes erzählte man später, daß er noch aus der Entfernung von mehreren Blocks deutlich zu hören war.

Viele der Leute verstanden den Bischof dahingehend, ›daß Gott bereits besänftigt sei durch das große Ausmaß der Reue, das die Bevölkerung der Stadt schon an den Tag gelegt hätte; daß er wisse, daß die Strafe im Vergleich zu den Sünden der Menschen zwar recht gering, dabei als solche aber doch streng gewesen sei; und daß Gott bereits erreicht hätte, was er beabsichtigte, nämlich ihre Trauer und Reue.‹ In Wirklichkeit aber wiesen die Worte des Bischofs jedwede Vorstellung von Bestrafung oder Besänftigung gänzlich zurück. Er stellte unzweideutig fest, daß das Erdbeben kein verläßlicher Beweis für Gottes Zorn sei. In seinem nachfolgenden Buch widmete er 12 Seiten der Rechtfertigung der theologischen Ansicht, daß große Katastrophen, die massenhaftes Leid hervorrufen, oft dazu bestimmt seien, eher als Prüfung für Gottes Volk denn als Bestrafung zu wirken.

[...]

Der Bischof zählte eine Reihe von übernatürlichen und wundersamen Begleiterscheinungen des Bebens auf, von denen seinerzeit berichtet wurde, die er allesamt als Lügen oder Produkte der Einbildungskraft bezeichnete: unmittelbar vor dem Beben gebar eine Indianerin 3 Knaben, von denen einer die Katastrophe vorhersagte; ein Kruzifix sprach streng zu einem Kirchendiener; das Christusbildnis in der St. Augustin – Kirche kehrte sein Gesicht dreimal um; eine Indianerin sah einen Feuerring durch das Rathaus laufen; und in den umliegenden Bergen wurden die Stimmen von Dämonen, Trommeln und Trompeten, Gewehrfeuer und der Zusammenprall zweier Armeen gehört.«

Alfred Owen Aldridge: The Background of Kleist's »Das Erdbeben in Chili«. In: arcadia, Zeitschrift für vergleichende Literaturwissenschaft 3 (1968) S. 175–177. [Übers.: Dirk Grathoff.]

Wenn Kleist von dem Bericht des Bischofs Villarroel direkt oder indirekt (d. h. vermittelt durch Darstellungen, die auf Villarroel zurückgehen) Kenntnis gehabt haben soll, so hat er daraus zwar einige Anregungen empfangen können (z. B. das Ausmaß der Zerstörungen, die Erhaltung einer Kirche, die Predigt des Bischofs), doch weicht seine Erzählung in vielen Punkten erheblich von dem faktischen Geschehen ab (angefangen bei der Verlegung des Bebens von der Nacht auf den Tag bis hin zur Verkehrung des aufklärerischen Duktus der Predigt von Villarroel zur demagogischen Strafpredigt des Chorherrn). Kleist ist es insofern gewiß nicht um historische Detailtreue gegangen.

Es ist aber auch möglich, daß Kleist allgemeine Kenntnisse über Chile und Santiago aus zeitgenössischen Reiseberichten oder Landesbeschreibungen gewonnen hat und diese mit Berichten über andere Erdbeben (etwa das von Lissabon 1755) verquickte. Im 18. Jahrhundert waren insbesondere drei Darstellungen über Chile weit verbreitet und in die wichtigsten europäischen Sprachen übersetzt: die von Frezier, Vidaurre und Molina.[3]

Der Reisebericht von AMÉDÉE FRANÇOIS FREZIER, »Relation du voyage de la mer du sud aux cotes du Chily et du Perou, fait pendant les années 1712, 1713 & 1714«, Paris 1716, erschien 1717 in englischer Übersetzung und 1718 in deutscher. In Kapitel 14 »Beschreibung SANTJAGO, der Haupt-Stadt in Chili, nach ihrem Natürlichen/Politischen und Militair-Zustande« heißt es:

---

3 Wir berücksichtigen nur solche Schriften, die mehrfach übersetzt wurden und in großen deutschen Bibliotheken greifbar waren; unberücksichtigt lassen wir nur auf spanisch erschienene, wie etwa die sonst bekannte Geschichte Chiles von Alonso de Ovalle, »Historica relacion del regno de Chili, y de las misiones, y ministerios que exercita en el la Compañia de Jesus [. . .]«, Rom 1646. In deutschen Bibliotheken konnten wir die folgende deutsche Übersetzung eines weiteren Buches über Chile von J. Molina nicht nachweisen: »Geschichte der Eroberung von Chili durch die Spanier«, nach dem Italienischen des Herrn Abts J. Ignaz Molina, Leipzig, bei Friedrich Gottlob Jacobaer 1791 (Übers. von: J. Molina, »Saggio sulla storia civile del Chili«, Bologna 1787). Zur Frage, ob auch das Buch von Vidaurre Molina zuzuschreiben sei vgl. Anm. 4.

»Die daselbst öffters sich ereugende Erdbeben haben der
Stadt grossen Schaden zugefüget. Unter andern im Jahr 1647
und 1657, deren das Erste so hefftig war, daß es dieselbe fast
gantz übern Haufen warff, und in der Lufft solche böse Dün-
ste erweckte, daß alle Menschen bis auff drey- oder vierhun-
dert Persohnen davon gestorben.

Die Seite gegen Abend [des Königlichen Platzes] begreifft die
Stiffts-Kirche und der Bischöfl. Pallast: Im Norden steht der
neue Pallast des Präsidenten, die Königliche Justiz-Kammer,
das Cabildo, und die Gefängnis.

Außer der Stiffts-Kirche sind deren noch drey, als St. Pauli,
St. Annae und St. Isidori, so aber nur klein und wenig
besucht werden. Die Mönche haben weit ansehnlichere Kir-
chen-Gebäude. Es befinden sich aber hieselbst VIII Manns-
Clöster / nemlich III von Franciscanern / zwey von Jesuiten /
eines von Brüdern der Barmhertzigkeit / eines von St. Jean de
Dieu, und eines von Dominicanern. Andere Geistliche
Orden finden sich in gantz Chili nicht. Der Nonnen-Clöster
hats fünfe: Eines mit Carmeliterinnen / eines mit Augustine-
rinnen / eines der Seeligen / so eine Schwesterschafft gleichfals
des heil. Augustini ist, und dann zwey vom Orden St. Clara.
Alle die Clöster sind starck besetzt, und es giebt unter ihnen
etliche, so über zweyhundert Persohnen unterhalten.
Das Inquisitions-Gericht von Chili hat hier ebenmässig seinen Sitz. Der Oberste davon hat seine Wohnung zu Santjago,
seine Bediente aber stecken hier und dar in allen Städten und
Dörffern seines geistlichen Gebiets. Ihre meiste Arbeit ist die
Untersuchung der Erscheinungen der wahren oder auch nur
vermeintlichen Zaubereien, und gewieser vor die Inquisition
gehöriger Verbrechen, als der Vielweiberey u.s.f.«

[Amédée François] Frezier: Allerneueste Reise nach
der Süd-See / und denen Küsten von Chili, Peru und
Brasilien. Aus dem Frantzösischen übersetzet.
Hamburg: Thomas von Wierings Erben, 1718.
S. 130 und 135.

C. Zinck sculp. Hamb.

Hrn. Frezier,

Königl. Frantzösis. Ingenieurs,

Allerneueste

Reise

nach der

Süd = See/

und denen

Lüsten

von

Chili, Peru

und

Brasilien.

Aus dem Frantzösischen übersetzet / und mit
vielen saubern Kupfern versehen.

HAMBURG,

Gedruckt und verlegt bey sehl. Thomas von Wierings Erben,
im güldnen A, B, C. 1718.

1782 erschien in deutscher Übersetzung eine Landesbeschreibung von Chile, die von dem Übersetzer C. J. Jagemann dem Jesuiten FELIPE GOMEZ DE VIDAURRE zugeschrieben wurde: »Des Herrn Abts Vidaure Kurtz gefaßte geographische, natürliche und bürgerliche Geschichte des Königreichs Chile«.[4] Der 27. Abschnitt handelt über »Santiago oder S. Jacob«:

»Diese schöne Stadt, welche Santiago, oder S. Jacob genannt wird, liegt [. . .] in einer weiten und angenehmen Ebene, auf dem südlichen Ufer des Mapocho [. . .]. Ihre Straßen sind wie in allen andern Städten und Flecken 36 geometrische Fuß breit, grade und rechtwinkelicht durchschnitten. Sie hat einen viereckigten Marktplatz, von welchem eine jede Seite 450 Schuh lang ist, und in dessen Mitte ein schöner Springbrunn von Kupfer stehet. Die nördliche Seite desselben ist von den Pallästen des Präsidenten, der Audienzia, und von dem Rathhause der Bürgerschaft, unter welchem die öffentliche Gefängnisse sind, eingenommen. Gegenüber stehet der Pallast des Grafen von Sierrabella, auf der westlichen Seite der Dom und die bischöfliche Wohnung; und auf der östlichen sind drey Häuser, welche Privat-Einwohner zugehören. Die Ansehnlichsten unter den Gebäuden sind der Dom, die Kirche der Dominikaner, und jene des ehemaligen größten Kollegiums der Jesuiten. Die privat Häuser sind ziemlich schön, und wegen der öftern Erdbeben nur ein Stockwerk hoch. [. . .] Dagegen sind der Klöster desto mehr; denn die Dominikaner haben ihrer zwey, die Franziskaner vier, die

4 Wir halten uns an diese Zuschreibung der Übersetzung, wenngleich wahrscheinlich nicht Vidaurre sondern Molina als Verfasser anzusehen ist, weil diese Ursprungsfragen in unserem Zusammenhang unerheblich sind. Der »Manual del librero hispanoamericano«, hrsg. von Antonio Palan y Dulcet, 2. Aufl., Bd. 9, Barcelona 1956, S. 477, nennt für Jagemanns Übersetzung folgendes Original: Juan Ignacio de Molina, »Compendio della Storia Geografica, Naturale e Civile del Regno del Chile«, Bologna 1776. Unklar ist, ob es sich dabei nicht doch um eine italienische Übersetzung eines spanischen Originals (von Vidaurre?) handelt, zumal Molina sonst mit zwei anderen Büchern über Chile hervorgetreten ist, die meist zusammengefaßt in die anderen europäischen Sprachen übersetzt wurden.

Augustiner zwey, die Väter der Erlösung zwey, die barmherzigen Brüder eins mit ihrem Hospital. Die Jesuiten hatten hier drey Collegien mit öffentlichen Schulen, wo auch die höhern Wissenschaften gelehrt wurden, und ein Haus, welches zu den geistlichen Exercitien bestimmt war. Es sind hier auch 7 Nonnenklöster, ein Zuchthaus für Weiber, ein Waisenhaus, ein adeliches Kollegium, welches ehedem unter der Aufsicht der Jesuiten war [. . .]. In dieser Hauptstadt blühet ein zahlreicher Adel, der hier mit allen den Titeln und Ordenzeichen prangt, die in Kastilien üblich sind. Es war dieß der Geburtsort Sr. Exellenz Don Ferdinando Andia Irarrazabal, Marquis zu Valparaiso und Grand d'Espagne, dessen Geschlecht nicht nur hier, sondern auch in Spanien blühet. Weil hier von allen Provinzen, als zu ihrem Mittelpunkt, die Bedürfnisse eines bequemen Lebens zusammenfließen, so macht sie der Ueberfluß wohlfeil.«

> Des Herrn Abts Vidaure Kurtz gefaßte geographische, natürliche und bürgerliche Geschichte des Königreichs Chile, aus dem Italienischen ins Deutsche übersetzt von C. J. Jagemann. Hamburg: C. E. Bohn, 1782. S. 172–175.

Von GIOVANNI IGNAZIO MOLINA stammen zwei Bücher über Chile: »Saggio sulla storia naturale del Chili«, Bologna 1782 (deutsch 1786), sowie »Saggio sulla storia civile del Chili«, Bologna 1787 (deutsch 1791: »Geschichte der Eroberung von Chili durch die Spanier«), die meist zusammen übersetzt wurden (französisch 1789; spanisch 1788–95; englisch 1808). Die deutsche Übersetzung der Naturgeschichte Chiles dürfte Kleist wahrscheinlich kaum benutzt haben. Erwähnt wird zwar ein vom Meer wehender Wind (vgl. Anm. zu 54,9), auch das Erdbeben von 1647 (falsch datiert auf den 13. März; S. 26), insbesondere Molinas Beschreibung der Bauweise von Santiago, die Sicherheit bei Erdbeben bieten soll, weicht aber von Kleists Darstellung ab:

»Die Eingebornen haben, um ihre Person in Sicherheit zu setzen, die Städte so gebauet, daß sie alle den Zufällen, welche

Versuch
einer
Naturgeschichte
von
Chili.

Von
Abbé J. Ignaz Molina.

Aus dem Italiänischen übersetzt,

von

J. D. Brandis,
Doctor der Arzneywissenschaft.

Mit einer Landcharte.

Mit Churfürstl. Sächsischer Freyheit.

Leipzig,
bey Friedrich Gotthold Jacobäer 1786.

durch ein solches Unglück hervorgebracht werden könnten, angemessen sind. Die Straßen sind so breit, daß, wenn die Häuser von beyden Seiten zusammenfielen, sie sich doch nicht berühren würden, sondern in der Mitte einen hinlänglich freyen Platz für diejenigen übrig lassen würden, welche sich dahin flüchteten.«

> J. Ignatz Molina: Versuch einer Naturgeschichte von Chili. Aus dem Italiänischen übersetzt, von J. D. Brandis. Leipzig: Friedrich Gotthold Jacobäer, 1786. S. 28.

Zusammenfassend können wir festhalten, daß Kleist mit Sicherheit einige rudimentäre geographische Kenntnisse über Chile und Santiago aus zeitgenössischen Berichten gewonnen hat, daß er die historischen und geographischen Angaben im Text aber lediglich als äußerliche Orientierungsdaten verwandte. Jedenfalls war er nicht sonderlich um historische Detailtreue bemüht und hat sich auch nicht durch ein spezifisch chilenisches Lokalkolorit anregen lassen: sein Santiago könnte auch eine andere Stadt sein, und das Tal vor Santiago weist alle Züge eines gezielt literarisch stilisierten locus amoenus auf. Wichtig war für ihn vor allem wohl die Verquickung von kirchlichem und staatlichem Rechtsvollzug, wofür die Inquisition in den spanischen und iberoamerikanischen Ländern zum Inbegriff geworden war. Äußerliches Anzeichen für Macht und Einfluß der katholischen Kirche war die große Zahl der Kirchen, Orden und Klöster, wie sie etwa der Reisebeschreibung von Frezier entnommen werden konnte. In dieser Hinsicht mag Santiago für KLEIST als ein nach Südamerika verlegtes Würzburg erschienen sein, über das er seiner Verlobten Wilhelmine von Zenge am 11. September 1800 im Duktus aufklärerischen Protestantismus geschrieben hatte:

»Das Ganze hat ein echt katholisches Ansehn. Neun und dreißig Türme zeigen an, daß hier ein Bischof wohne, wie ehemals die ägyptischen Pyramiden, daß hier ein König begraben sei. Die ganze Stadt wimmelt von Heiligen, Aposteln und Engeln, und wenn man durch die Straßen geht, so

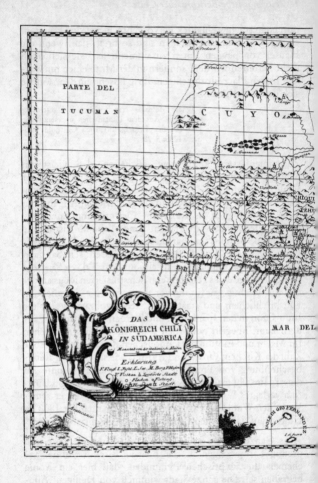

Landkarte von Chile (Ende des 18. Jh.s).

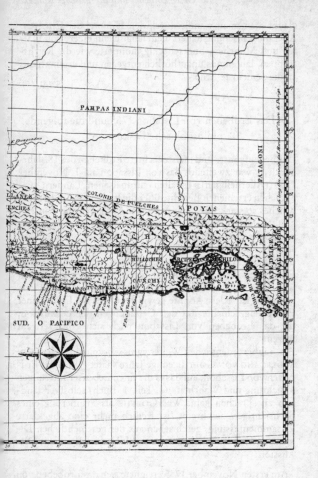

PAMPAS INDIANI

PATAGONI

COLONIE DE PUELCHES   POYAS

 LLANES

ENCHES

A RAUCANI

HUILLICHES   ARCIPELAGO DI CHILOE

CUNCHI

CARAVUO TUCAPEL   C. di CHILOE

I. Guafo

SUD, O PACIFICO

glaubt man, man wandle durch den Himmel der Christen. Aber die Täuschung dauert nicht lang. Denn Heere von Pfaffen und Mönchen, buntscheckig montiert, wie die Reichstruppen, laufen uns unaufhörlich entgegen und erinnern uns an die gemeinste Erde.«

SW II, 554.

2. Das Erdbeben von Lissabon 1755 und die folgende philosophische Diskussion

Das bedeutendste und meistbeachtete Erdbeben des 18. Jahrhunderts war zweifellos das von Lissabon am 1. November 1755 (Allerheiligen). In allen europäischen Ländern und Sprachen erschienen Berichte über die Ereignisse des Bebens, welches so stark war, daß man seine Ausläufer und Auswirkungen noch in Nordeuropa spürte. Das Erdbeben löste eine nachhaltige, in zahlreichen Schriften ausgetragene theologische und philosophische Debatte aus und bekam durch diese öffentliche Diskussion den Rang eines weltgeschichtlichen Ereignisses für das 18. Jahrhundert, das in seinem Gewicht wohl nur mit der Französischen Revolution von 1789 vergleichbar ist. Kleist konnte gewiß sein, daß die Leser seiner Erdbebengeschichte mit den Grundzügen der Diskussion, die das Erdbeben von Lissabon nach sich zog, vertraut waren.

Als »außerordentliches Weltereignis« bezeichnete JOHANN WOLFGANG VON GOETHE einige Jahre später (1811) das Erdbeben von Lissabon, auf das er in seinen Lebenserinnerungen »Dichtung und Wahrheit« (1. Teil, 1. Buch) selbstverständlich zu sprechen kam. Was GOETHE als Erinnerung eines Sechsjährigen beschreibt, ist freilich mehr eine abgeklärte Zusammenfassung, geschrieben aus der geschichtlichen Distanz und mit Rücksicht auf die nachfolgende öffentliche Diskussion:

»Am ersten November 1755 ereignete sich das Erdbeben von Lissabon, und verbreitete über die in Frieden und Ruhe schon eingewohnte Welt einen ungeheuren Schrecken. Eine große prächtige Residenz, zugleich Handels- und Hafenstadt, wird ungewarnt von dem furchtbarsten Unglück betroffen. Die Erde bebt und schwankt, das Meer braust auf, die Schiffe schlagen zusammen, die Häuser stürzen ein, Kirchen und Türme darüber her, der königliche Palast zum Teil wird vom Meere verschlungen, die geborstene Erde scheint Flammen zu speien: denn überall meldet sich Rauch und Brand in den Ruinen. Sechzigtausend Menschen, einen Augenblick zuvor noch ruhig und behaglich, gehen mit einander zugrunde, und der Glücklichste darunter ist der zu nennen, dem keine Empfindung, keine Besinnung über das Unglück mehr gestattet ist. Die Flammen wüten fort, und mit ihnen wütet eine Schar sonst verborgener, oder durch dieses Ereignis in Freiheit gesetzter Verbrecher. Die unglücklichen Übriggebliebenen sind dem Raube, dem Morde, allen Mißhandlungen bloßgestellt; und so behauptet von allen Seiten die Natur ihre schrankenlose Willkür.

Schneller als die Nachrichten hatten schon Andeutungen von diesem Vorfall sich durch große Landstrecken verbreitet; an vielen Orten waren schwächere Erschütterungen zu verspüren, an manchen Quellen, besonders den heilsamen, ein ungewöhnliches Innehalten zu bemerken gewesen: um desto größer war die Wirkung der Nachrichten selbst, welche erst im allgemeinen, dann aber mit schrecklichen Einzelheiten sich rasch verbreiteten. Hierauf ließen es die Gottesfürchtigen nicht an Betrachtungen, die Philosophen nicht an Trostgründen, an Strafpredigten die Geistlichkeit nicht fehlen. So vieles zusammen richtete die Aufmerksamkeit der Welt eine Zeitlang auf diesen Punkt, und die durch fremdes Unglück aufgeregten Gemüter wurden durch Sorgen für sich selbst und die Ihrigen um so mehr geängstigt, als über die weitverbreitete Wirkung dieser Explosion von allen Orten und Enden immer mehrere und umständlichere Nachrichten einliefen. Ja vielleicht hat der Dämon des Schreckens zu keiner Zeit so schnell und so mächtig seine Schauer über die Erde verbreitet.

Der Knabe, der alles dieses wiederholt vernehmen mußte, war nicht wenig betroffen. Gott, der Schöpfer und Erhalter Himmels und der Erden, den ihm die Erklärung des ersten Glaubensartikels so weise und gnädig vorstellte, hatte sich, indem er die Gerechten mit den Ungerechten gleichem Verderben preisgab, keineswegs väterlich bewiesen.«

Johann Wolfgang von Goethe: Werke. Hamburger
Ausgabe. Bd. 9. 7. Aufl. München: Beck, 1974.
S. 29–31.

Für seine Darstellung hatte Goethe am 1. 5. 1811 aus der Weimarer Bibliothek einen der vielen Berichte über das Lissaboner Erdbeben ausgeliehen: »Beschreibung des Erdbebens, welches die Hauptstadt Lissabon und viele andere Städte [. . .] umgeworfen [. . .], Danzig 1756«. Es ist durchaus möglich, daß Kleist einen vergleichbaren Bericht herangezogen hat (so verzeichnet z. B. der alte Sachkatalog der Berliner Staatsbibliothek neben dem Danziger Buch von 1756 etwa 20 einschlägige Titel), um dann unter Abwandlung der Details die Ereignisse nach Chile zu verlegen. In den Berichten über das Erdbeben in Santiago 1647 ist jedenfalls nicht – wie in Kleists Erzählung (vgl. 60,11 ff.) – von Plünderungen die Rede, wohl aber bei Goethe in Hinblick auf Lissabon.
Die theologische und philosophische Debatte kreiste um die Frage, die auch Goethe rückblickend stellte, ob und wie sich das Erdbeben als Ausdruck des göttlichen Willens verstehen lasse. Diese Frage hatte schon der aufgeklärte Bischof von Santiago, Gaspar de Villarroel, anläßlich des dortigen Bebens ins Zentrum seiner theologischen Erörterungen gestellt – und sie zurückgewiesen, was zustimmend in der Diskussion um das Erdbeben von Lissabon zitiert wurde.[5] Ereignisse wie das Erdbeben von Lissabon waren dazu angetan, die Bemühungen um eine Theodizee, also den Versuch einer Rechtfertigung Gottes trotz des in der Welt vorhandenen Übels, ebenso zu provozieren wie zu erschüttern. Von deutscher Seite aus

5 Vgl. dazu: T. D. Kendrick, »The Lisbon Earthquake«, London 1956, S. 67 f.
   (Villarroel wurde von José Cevallos zustimmend zitiert.)

Der Praça da Patrical in Lissabon nach dem Erdbeben.
Kupferstich von J. P. Le Bas (1757).

war vor allem der Philosoph Gottfried Wilhelm Leibniz mit seinen Essays zur »Theodizee« (1710 zuerst französisch erschienen; der Begriff »Theodizee« wurde von Leibniz geprägt) an der theoretischen Begründung einer philosophischen Doktrin beteiligt, die die bestehende Welt als beste aller möglichen Welten erklären will und das vorhandene partikulare Übel im Zusammenhang eines größeren Ganzen relativiert. Diese philosophische Lehre des ›Optimismus‹, die insbesondere noch von Alexander Pope in dem Poem »An Essay on Man« (1733–34) vertreten wurde, geriet im Anschluß an das Erdbeben von Lissabon ins Kreuzfeuer der Kritik. Unmittelbar voraufgegangen war im Jahre 1755 eine Preisfrage der Berliner Akademie der Wissenschaften: »Gefordert wird die Untersuchung des Popeschen Systems, wie es in dem Lehrsatz ›Alles ist gut‹ enthalten ist«, der auch der französische Philosoph VOLTAIRE (eigtl.: François Marie Arouet) Interesse entgegenbrachte – nicht zuletzt wegen seiner erst freund-, dann feindschaftlichen Bekanntschaft mit dem preußischen König, Friedrich II., und seiner Abneigung gegen den französischen Präsidenten der Berliner Akademie, Maupertuis.[6] Voltaire, der sich nicht an der Beantwortung der Preisfrage beteiligte, hatte früher selbst mit dem radikalen metaphysischen Optimismus geliebäugelt, wie ihn Alexander Pope vertrat (»All partial Evil, universal Good«; »Whatever is, is right«), geriet nun aber unter dem Eindruck des Erdbebens von Lissabon in grundlegenden Zweifel am Opti-

---

6 Vgl. zu diesen Zusammenhängen näher: Wilhelm Lütgert, »Die Erschütterung des Optimismus durch das Erdbeben von Lissabon 1755«, Gütersloh 1901 sowie Harald Weinrich, »Literaturgeschichte eines Weltereignisses: Das Erdbeben von Lissabon«, in: H. Weinrich, »Literatur für Leser«, Stuttgart 1971, S. 64–76. Wir folgen hier den Darstellungen von Lütgert und Weinrich.
Unlängst hat Thomas E. Bourke diese Zusammenhänge nochmals dargestellt und Ergänzungen zu der grundlegenden älteren Arbeit von Lütgert geleistet. An Lütgert war auch Weinrich orientiert, den Bourke offenbar übersehen hat. Bourke hat zuerst die Verbindung von Voltaire zu Kleist in ihrer grundsätzlichen Bedeutung erkannt, die direkte Beziehung dabei doch überzeichnet (vgl. Anm. 9). Kürzlich hat Hamacher (in Wellbery) Kleists Erzählung im Kontext der philosophischen Debatten des 18. Jh.s interpretiert und mit Recht als eine »Replik« auf Voltaires »Candide« bezeichnet.

mismus. Er schrieb ein umfangreiches »Gedicht über die Katastrophe von Lissabon« (»Poème sur le desastre de Lisbonne«), dem er den Untertitel gab: »Untersuchung des Axioms ›Alles ist gut‹«, womit er also die Preisfrage der Berliner Akademie über den »Lehrsatz ›Alles ist gut‹« unmittelbar aufgriff. Das Gedicht erschien Anfang 1756 im Druck und erreichte eine außerordentliche Verbreitung in ganz Europa, allein im Jahr 1756 erschienen etwa 20 Ausgaben.[7]

VOLTAIRE zielte mit seinem Gedicht darauf ab, daß das Übel des Erdbebens und das dadurch verursachte Leid als solches hingenommen werden müsse, und nicht durch spitzfindige Erklärungen des philosophischen Optimismus harmonistisch verklärt werden dürfe. Er konfrontierte die verschiedenartigen theologischen und philosophischen Interpretationen und Erklärungen des Erdbebens, allen voran die »Alles ist gut« – These des Optimismus, mit einer Beschreibung des realen Elends, das durch das Erdbeben hervorgerufen wurde, um die Haltlosigkeit aller Erklärungsversuche vor Augen zu führen. Das Gedicht ist dabei durchweg als pathetische Rede gehalten, die sich an die irrenden Philosophen des Optimismus richtet:

»Getäuschte Philosophen, die rufen: *alles ist gut.*
Kommt her, seht die furchtbaren Ruinen,
Die das Elend bezeugenden Trümmer, Überreste und
Aschehaufen,
Die Frauen, die Kinder, einer über dem anderen liegend,
Die unter Marmorstücken zerstreuten Glieder:
Hunderttausend Unglückliche, die die Erde verschlingt,
Die blutend, zerrissen und noch zuckend
Unter ihrem Dach begraben, ohne Hilfe
In den entsetzlichsten Qualen ihre jammmervollen Tage
beenden.
Sagt Ihr zu den unartikulierten Schreien ihrer versagenden
Stimmen,

---

7 Nach Theodore Bestermann, »Voltaire et le Desastre de Lisbonne: ou, La mort de l'optimisme«, in: »Studies on Voltaire and the 18th Century«, Bd. 2, Genf 1956, S. 7–24, hier S. 20 f.

Zu dem schrecklichen Schauspiel ihrer brennenden
                                        Überreste,
Dies sei die Wirkung der ewigen Gesetze,
Die von einem freien und guten Gott notwendig diese Wahl
                                        herausfordern?
Sagt Ihr beim Anblick dieser vielen Opfer:
Gott hat sich gerächt, ihr Tod ist der Preis für ihre
                                        Verbrechen?
Welches Verbrechen, welchen Verstoß haben diese Kinder
                                        begangen,
Die auf dem Schoß ihrer Mutter zerschmettert sind und
                                        verbluten?
Gab es in Lissabon, das nicht mehr ist, mehr Laster
Als in London, in Paris, wo man sich ins Vergnügen stürzt?
Lissabon ist versunken und man tanzt in Paris.

[. . .]

Also leiden alle Teile der Welt an ihr;
Alle sind geboren um zu leiden, einer nach dem anderen
                                        gehen sie zugrunde:
Und Ihr wollt in diesem fatalen Chaos
Das Unglück jedes einzelnen ein allgemeines Glück nennen?
Was für ein Glück! oh wie sterblich, schwach und elend es ist!
Ihr ruft mit kläglicher Stimme: *alles ist gut,*
Doch das Weltall straft Euch Lügen und Euer eigenes Herz
Hat sich hundertmal gegen den Irrtum Eures Geistes
                                        gewehrt.

Elemente, Tiere und Menschen – alles liegt miteinander im
                                        Krieg.
Man muß es bekennen: das Übel ist in der Welt:
Seinen verborgenen Ursprung können wir nicht erforschen.
Sollte das Übel vom Schöpfer alles Guten gekommen sein?

[. . .]

Die Natur ist stumm, man befragt sie vergeblich.
Man braucht einen Gott, der zu den Menschen spricht.

Es fällt allein ihm zu, seine Schöpfung zu erklären,
Den Schwachen zu trösten, den Weisen aufzuklären.
Der Mensch ist ohne ihn im Zweifel, im Irrtum und verlassen,
Sucht vergeblich den rettenden Strohhalm.

[...]

Unsere Hoffnung ist, daß *eines Tages alles gut sein wird;*
Daß schon heute alles gut sei, ist Illusion.
Die Weisen haben mich getäuscht, und GOTT allein hat
                           recht.«

> Voltaire: Poème sur le desastre de Lisbonne en
> 1755. In: Oeuvres complètes de Voltaire. Bd. 12.
> Gotha: Ettinger, 1785. S. 118–124. [Übers.: Hed-
> wig Appelt.]

Mit Voltaires Gedicht ist in geistesgeschichtlicher Hinsicht
ein entscheidender Schritt gegen den im Gottesglauben fun-
dierten Optimismus der Aufklärung getan und eine Wende
zum aufgeklärten Pessimismus oder Skeptizismus eingeleitet.
Da Voltaire im Prinzip aber weiterhin am Gottesglauben fest-
hält, bleibt das Phänomen des Erdbebens letztendlich uner-
klärbar. In der Welt, heißt es in der Vorrede zum Gedicht,
gebe es gleichermaßen Gutes wie Schlechtes, und kein Philosoph habe jemals den Ursprung des moralischen Übels (in der
Beziehung der Menschen untereinander) oder des physischen
(in der Konfrontation von Mensch und Natur) erklären können. Der Stärke Voltaires, die harmonistischen Deutungen
zurückzuweisen, steht die Schwäche gegenüber, keinerlei
Deutung mehr geben zu können – auf Grund des Festhaltens
am Gottesglauben. An dieser Schwäche setzte die Kritik von
JEAN-JACQUES ROUSSEAU an.
ROUSSEAU antwortete auf das Gedicht mit einem längeren
»Brief an Herrn von Voltaire« vom 18. August 1756, den er
direkt an Voltaire schickte und der 1760 zuerst ohne ROUS-
SEAUS Wissen publiziert, mit seiner Billigung 1764 in eine
Ausgabe seiner Werke aufgenommen wurde. Die erste deut-
sche Übersetzung erschien 1779. Gegen Ende seiner Argu-
mentation kommt ROUSSEAU auf den Kern der Sache zu spre-

chen, die Frage nach dem Dasein Gottes, und hält Voltaire entgegen, daß er sich auf falschem Terrain bewege: was Voltaire erörtere, sei letztlich eine Glaubensfrage, und könne folglich nicht Gegenstand einer philosophischen Erörterung sein:

»Wenn ich diese verschiedenen Fragen zu ihrem allgemeinen Grundsatz zurückführe, so scheint es mir sie beziehen sich alle auf die Frage von dem Daseyn Gottes. Wenn ein Gott ist, so ist er vollkommen; wenn er vollkommen ist, so ist er weise, mächtig, und gerecht; wenn er weise, und mächtig ist, so ist alles gut; wenn er gerecht und mächtig ist, so ist meine Seele unsterblich; wenn meine Seele unsterblich ist, so sind dreissig Jahre Leben nichts für mich, und sind vielleicht zu Erhaltung des Weltalls nothwendig. Wenn man mir den ersten Satz zugesteht, so wird man niemals die folgenden erschüttern; wenn man ihn läugnet, so muß man über die Schlußfolgen nicht streiten.
In diesem letztern Falle sind weder Sie, noch ich. [. . .]
Dieses wäre also eine Wahrheit, die wir beyde annehmen, und unter deren Schutze Sie fühlen wie leicht die Lehre von der besten Welt zu vertheidigen, und die Vorsehung zu rechtfertigen ist, und Sie sind der Mann nicht dem man die abgedroschenen, aber gründlichen Vernunftschlüsse, die so oft über diesen Gegenstand gemacht worden sind, wiederholen muß. Was die Philosophen betrifft, die meinen ersten Grundsatz nicht eingestehen, so muß man mit ihnen über solche Gegenstände nicht streiten, weil das was für uns ein aus der Empfindung hergeholter Beweis ist, für sie kein klarer Beweis werden kan, und weil es keine vernünftige Rede ist zu einem Menschen zu sagen: Ihr müßt dieses glauben, weil ich es glaube. Sie von ihrer Seite müssen nicht mit uns über dergleichen Gegenstände streiten, weil sie nur Folgsätze des Hauptsatzes sind, den ein redlicher Gegner ihnen kaum entgegensetzen darf, und weil sie ihrerseits Unrecht hätten zu fordern man soll ihnen den Folgsatz, abgerissen von dem Satze der ihm zum Fundament dient, beweisen. Noch aus einem anderen Grunde sollen sie es nicht. Nemlich weil es eine Unbarm-

*João Glama Stromberle: Das Erdbeben von Lissabon
(2. Hälfte des 18. Jh.s).*

herzigkeit ist friedfertige Seelen zu verwirren, und die Menschen ohne einigen Nutzen zu bekümmern, wenn das so man sie lehren will weder gewiß, noch nützlich ist. Mit einem Wort', ich denke, daß nach ihrem Beyspiel, man den Aberglauben, der die Gesellschaft beunruhiget, nicht zu stark angreiffen, und der Religion, die sie aufrecht erhält, nicht zu grosse Achtung bezeugen könne.«

> Jean Jacques Rousseau: Kleine Schriften. Aus dem Französischen. Tl. 1. Heidelberg: Gebrüder Pfähler, 1779. S. 329–332.

Mit dem Grundproblem, der Frage nach dem Dasein Gottes, hatte ROUSSEAU den eigentlichen, oft unausgesprochenen Kern der Diskussionen über das Erdbeben von Lissabon benannt. Seine weltgeschichtliche Bedeutung erlangte dies Ereignis als Markierungspunkt im geistesgeschichtlichen Prozeß der Abschaffung Gottes. ROUSSEAU will mit Voltaire noch am Gottesglauben festhalten, was aber dazu führt, daß das Erklärungsterrain ausgeschritten ist und unauflösliche Widersprüche zurückbleiben. Kleist, in dessen Erdbeben-Erzählung diese Fragen stets gegenwärtig sind, fügt auf dem Weg zur Verabschiedung Gottes noch eine weitere Nuance hinzu, wenn er sagt: »Es kann kein böser Geist sein, der an der Spitze der Welt steht: es ist ein bloß unbegriffener!« (SW II,766 und 768), womit gewissermaßen das Problem in der Debatte zwischen Rousseau und Voltaire aus anderer Perspektive benannt ist. Kleists unbegreifbarer Gott ist der verborgene, der *deus absconditus* (vgl. dazu neuerdings die Interpretation von Altenhofer in Wellbery, S. 52). Übrigens schrieb Kleist den Satz in zwei Briefen vom August 1806, also zur möglichen Entstehungszeit des »Erdbebens«.

ROUSSEAU drängte gegenüber Voltaire also vor allem auf eine Terraineinhaltung der Philosophie: sie solle sich nicht auf Gebiete der Glaubensfragen begeben, die sie nichts angingen. Auch Voltaires angestrengte Widerlegung des Optimismus sei vergebene Liebesmüh, weil er sich von Leibniz und Pope aufs falsche Gelände habe locken lassen:

»Um wieder, mein Herr, zu dem Lehrgebäude, das Sie angreiffen zurück zukehren, so glaub' ich man könn' es nicht anderst schicklich untersuchen, als wenn man sehr sorgfältig das besondere Uebel, dessen Würcklichkeit niemals kein Philosoph geläugnet hat, von dem allgemeinen Uebel das der Optimist läugnet, unterscheidet. Es ist nicht davon die Rede, zu wissen, ob jeder von uns leidet, oder nicht; sondern ob die Schöpfung eines Weltalls gut war, und ob in der Anordnung dieses Weltalls unsere Uebel unausweichlich waren. Also würde, wie mir scheint, der Zusatz eines Artikels, den Lehrsatz richtiger bestimmen; und anstatt des Alles ist gut, würd' es vielleicht besser seyn zu sagen, das Ganze ist gut, oder Alles ist gut für das Ganze. Alsdenn ist augenscheinlich, daß kein Mensch weder dafür, noch dawieder bündige Beweise geben könnte; denn diese Beweise hangen von einer vollkommenen Kenntniß der Anordnung der Welt, und des Endzwecks ihres Urhebers ab, und diese Kenntniß übersteigt unstreitig den menschlichen Verstand. Die wahren Grundsätze der Lehre von der besten Welt, können weder von den Eigenschaften der Materie, noch von der Mechanick des Weltalls, sondern nur allein von den Schlußsätzen der Vollkommenheiten Gottes, der alles regiert, abgezogen werden: so daß man nicht durch Popens Lehrgebäude das Daseyn Gottes, sondern Popens Lehrgebäude durch das Daseyn Gottes beweist; und unstreitig ist die Frage von dem Ursprung des Uebels von der Frage der Vorsehung hergeleitet worden. Wenn nun von diesen beyden Fragen die eine so schlecht, als die andere behandelt worden ist, so rührt es daher daß man über die Vorsehung immer so elend geredet hat, daß das ungereimte so man davon gesagt hat, alle Folgerungen die man aus dieser grossen und tröstlichen Lehre hätte ziehen können, sehr in Verwirrung gebracht hat.

Die ersten die die Sache Gottes verdorben haben sind die Priester, und die Andächtler, die nicht leiden daß etwas nach der eingeführten Ordnung geschehe, sondern die immer in bloß natürliche Begebenheiten die göttliche Gerechtigkeit einmischen, und die, um ihrer Sache gewiß zu seyn, je nach-

dem es sich zuträgt, mit gutem oder mit bösem, ganz gleichgültig entweder die Bösen straffen und züchtigen, oder die
Frommen bewähren oder belohnen. Ich meiner seits weiß
nicht ob diß eine gute Gottesgelehrtheit ist; allein ich finde es
sey eine elende Art zu untersuchen, wenn man die Beweise
für die Vorsehung gleichgültig auf das so dafür und auf das so
dawider ist, gründet, und ihr ohne Wahl alles, was auch ohne
sie gleich geschehen könnte, beymißt.
Die Philosophen ihrer Seits scheinen mir nicht viel vernünfti-
ger, wenn ich sie den Himmel dafür nehmen sehe daß sie noch
Leiden unterworfen sind, wenn ich sie ausruffen höre, alles
ist verloren, wenn sie Zahnweh haben, oder arm sind, oder
wenn man sie bestiehlt, oder wenn ich sie, wie Seneca sagt,
Gott die Wache über ihr Felleisen auftragen sehe. Wenn
irgend ein tragischer Zufall Cartouchen, oder Cesarn in ihrer
Kindheit dahin geraft hätte, wo würde man gesagt haben:
Welche Verbrechen hatten sie begangen? Diese beyden Stras-
senräuber haben gelebt, und wir sagen? Warum sind sie beym
Leben geblieben? Hingegen wird ein Frommer im ersten
Falle sagen: Gott wollte den Vater straffen indem er ihm sein
Kind entriß; und im zweyten: Gott erhielt das Kind dem
Volke zur Züchtigung. So hat bey den Frommen, welche
Parthey auch die Natur ergriffen haben mag, die Vorsehung
immer recht, und bey den Philosphen immer unrecht. Viel-
leicht hat sie in der Ordnung der Dinge weder Recht, noch
Unrecht, weil alles an dem allgemeinen Gesetze hängt, das für
niemanden eine Ausnahme macht. Es ist zu vermuthen, daß
die besondern Begebenheiten hierunten in den Augen des
Beherrschers der Welt nichts sind, daß seine Vorsehung nur
überhaupt sorget, daß er sich begnügt die Geschlechter und
Gattungen zu erhalten, und alles zu regieren, ohne sich über
die Art wie jedes einzelne Wesen dieses kurze Leben zu-
bringt, zu bekümmern.«

Ebd. S. 323–327.

Voltaires Widerlegung der philosophischen Lehre des Optimismus, so Rousseau, sei philosophisch gesehen irrelevant,

sie führe bloß dazu, daß die Linderungen und der Trost genommen würden, die die optimistischen Lehren wenigstens noch spenden könnten. Statt sich mit Glaubensfragen herumzuschlagen, legt ROUSSEAU Voltaire eine andere Betrachtungsweise des Erdbebens nahe, eine, die darauf zielt, Naturphänomene für sich zu belassen, und das Augenmerk statt dessen auf geschichtliche Phänomene zu richten:

»Ohne Ihren Gegenstand von Lissabon zu verlassen, gestehn Sie mir zum Beyspiel, daß nicht die Natur zwanzigtausend Häuser von sechs bis sieben Stockwerken zusammen gebaut hatte, und daß wenn die Einwohner dieser grossen Stadt gleichmässiger zerstreut, und leichter beherbergt gewesen wären, so würde die Verheerung weit geringer, und vielleicht gar nicht begegnet seyn. Bey der ersten Erschütterung würde alles geflohen seyn, und des Morgens darauf hätte man sie auf zwanzig Stunden von da, eben so munter gesehen, als ob nichts begegnet wäre; allein man muß bleiben, man muß um diese Trümmer herum sich verweilen, man muß sich neuen Erschütterungen bloß setzen, weil das so man daselbst zurück läßt kostbarer ist, als das, so man mit sich nehmen kan. Wie viel unglückliche sind nicht bey diesem Unfall umgekommen, weil der eine seine Kleider, der andere seine Papyre, ein anderer sein Geld retten wollte? Weiß man nicht daß die Person jedes Menschen der geringste Theil seines Selbsts geworden ist, und daß es sich bey nahe nicht der Mühe lohnt sie zu retten, wenn man alles übrige verloren hat?
Sie hätten gewünscht, und wer hätt' es nicht mit Ihnen gewünscht? daß dieses Erdbeben eher mitten in einer Wüste als in Lissabon geschehen wäre. Läst sich zweifeln daß es auch in Wüsteneyen Erdbeben gebe? Allein wir reden nicht davon, weil sie den Herren in den Städten nichts schaden, die einigen Menschen, die wir unserer Bemerkung wehrt achten; selber den Thieren und den Wilden, die zerstreut in einsammen Gefilden wohnen, und die weder den Fall der Dächer, noch den Einsturz der Häuser fürchten, schaden sie wenig. Allein was würde ein solches Vorrecht bedeuten? Sollte es sagen

wollen, die Ordnung der Welt soll nach unserm Eigensinn sich ändern, die Natur soll unsern Gesetzen unterworfen seyn, und um ihr an irgend einem Orte ein Erdbeben zu verbieten, dürfen wir nur eine Stadt darauf bauen?

Es giebt Begebenheiten die uns oft, je nach den Gesichtspuncten, unter denen wir sie betrachten mehr, oder weniger rühren, und die viel von dem Abscheu, den sie uns beym ersten Anblick einflössen, verlieren, wenn man sie in der Nähe untersuchen will. Aus dem Zadig hab' ich gelernt, und von Tag zu Tage bestätigt mirs die Natur, daß ein plötzlicher Tod nicht immer ein würkliches Uebel ist, und daß er bisweilen für ein verhältnißmässiges Glück angesehen werden kan. Von so viel unter dem Schutte von Lissabon erschlagenen Menschen, sind sonder Zweifel viele, noch grössern Unglücksfällen entronnen, und ungeachtet dessen, was eine solche Beschreibung rührendes, und für die Dichtkunst fruchtbares haben mag, ists noch ungewiß ob ein einiger dieser unglücklichen mehr gelitten habe, als, wenn er nach dem gewöhnlichen Lauf der Dinge in langen Bangigkeiten den Tod, der ihn itzo überrascht hat, erwartet hätte, kan man sich ein traurigeres Ende denken, als das Ende eines sterbenden den man mit unnützer Pflege überhäuft, den ein Notarius und die Erben nicht mehr zu Athem kommen lassen, den die Aerzte nach ihrem Belieben in seinem Bette ermorden, und dem der barbarische Priester den Tod künstlich kosten lassen? Ich meinerseits sehe allenthalben, daß das Elend, dem uns die Natur unterwirft, weit weniger grausam ist, als das so wir selber hinzuthun.«

Ebd. S. 306–309.

Diese andere Betrachtungsweise läßt ROUSSEAU am Ende seines Briefes in die Aufforderung münden, ein anderes Buch zu schreiben, in dem gesellschaftliche und staatliche Fragen reflektiert werden. Wie er vorher philosophische und Glaubensfragen klar geschieden wissen wollte, sollen durch ein derartiges Buch die Terrains von Religion und Politik, sollen Staat und Kirche getrennt werden:

»Ich wollte also, daß man in jedem Staate ein sittliches Gesetzbuch, oder eine Art von bürgerlichem Glaubensbekenntniß hätte, welche bestimmt die gesellschaftlichen Maximen die jeder verbunden wäre, anzunehmen, und verneinend die schwermerischen Maximen, die man genöthigt wäre, zwar nicht als gottlos, sondern als aufrührisch zu verwerfen, enthielten. Folglich würde jede Religion, die sich mit diesem Gesetzbuche vertragen könnte, gestattet; jede Religion, die sich damit nicht vertragen könnte, verbannt seyn: und jeder hätte die Freyheit keine andere als das Gesetzbuch selber zu haben. Dieses Werk, sorgfältig ausgearbeitet, würde, wie mir scheint, das nützlichste Buch seyn so jemals geschrieben worden ist, und vielleicht das einige den Menschen nothwendige. Hier, mein Herr, eine Materie für Sie. Lebhaft würd' ich wünschen, daß Sie dieses Werk unternehmen, und mit Ihrer Dichtkunst verschönern möchten, damit es jedermann mit leichter Mühe auswendig lernen könnte, und es von Jugend auf in alle Herzen, diese Gesinnungen von Sanftmuth und Menschenliebe, die in allen Ihren Schriften glänzen, und die immer den Andächtleren mangelten, einflössen möchte. Ich ermahne Sie diesem Entwurf, der wenigstens Ihrer Seele gefallen muß, nachzudenken. Sie haben uns in Ihrem Gedicht über die natürliche Religion den Catechismus des Menschen gegeben: geben Sie uns itzo in dem, so ich Ihnen vorschlage, den Catechismus des Bürgers. Ein Gegenstand ist dieses zu langem Nachdenken, und vielleicht für das letzte Ihrer Werke aufzusparen, damit Sie durch eine Wohlthat für das menschliche Geschlecht, die glänzendeste Laufbahn, die jemals ein Gelehrter durchloffen hat, vollenden.«

Ebd. S. 336–337.

VOLTAIRES Antwort geriet scharf, fast schon boshaft; seither gingen er und Rousseau getrennte Wege, so daß auch in dieser Hinsicht im Gefolge des Erdbebens von Lissabon ein Wendepunkt der europäischen Aufklärung zu sehen ist. Am 1. September 1756 kündigte VOLTAIRE lediglich brieflich an, daß er auf Rousseaus Brief eingehen werde, was 1758 in

Rousseau und Voltaire im Streit über ihre Thesen.

seinem Roman »Candide oder der Optimismus« geschah.
Der Roman erschien 1759 anonym – also noch vor der ersten
Veröffentlichung von Rousseaus Brief. Der »Candide« ist
eine beißende Satire auf die Optimismus-Philosophie. VOL-
TAIRE überschüttet seinen jungen Helden Candide nach dem
Hiobs-Prinzip mit einer nicht endenden Kette von Unglück
und Katastrophen, gegen die der gutherzige und einfältige
Candide – geleitet von seinem Lehrer, dem Optimismus-Phi-
losophen Pangloss, unverdrossen die Parole von der besten
aller Welten aufrecht erhält. Im Zuge dieser Unglücksketten
gelangen Candide und Pangloss, hinter dem unschwer Leibniz zu erkennen ist, am Ende des 4. Kapitels zu dem »Wiedertäufer Jacques« – dessen Identität schon im Namen sich verrät. Der Wiedertäufer Jacques ist ein Geschäftsmann (eine
böse Antwort auf Rousseaus Aufforderung, sich mit geschichtlichen, nicht natürlichen Problemen zu befassen), der
den arg lädierten Leibniz-Pangloss pflegt (was diesen »lediglich ein Auge und ein Ohr« kostet), ihn zu seinem Buchhalter macht und beide schließlich mit auf eine Geschäftsreise
nach Lissabon nimmt:

»Diese letzten Worte gaben Candid einen Gedanken ein: er
warf sich sogleich seinem barmherzigen Wiedertäufer Jakob
zu Füßen und gab ihm eine so rührende Schilderung von
seines Freundes Zustand, daß der biedere Mann ohne Zau-
dern den Doktor Pangloß zu sich nahm und ihn auf seine
Kosten heilen ließ. Pangloß verlor während der Kur nur ein
Auge und ein Ohr. Er schrieb gut und verstand vortrefflich
zu rechnen. Der Wiedertäufer Jakob machte ihn deshalb zu
seinem Buchhalter. Als er nach Verlauf zweier Monate in
Handelsgeschäften nach Lissabon reisen mußte, nahm er
seine beiden Philosophen zu sich aufs Schiff. Pangloß erklärte
ihm, daß alles auf der Welt vortrefflich eingerichtet sei. Jakob
war nicht dieser Ansicht. ›Die Menschen‹, sagte er, ›müssen
wohl die ursprünglich vollkommene Natur ein wenig verdorben haben; sie sind nicht als Wölfe geboren, sondern sind erst
zu Wölfen geworden; Gott hat ihnen weder vierundzwanzig-

pfündige Kanonen noch Bajonette gegeben: sie haben Bajonette und Kanonen erst erfunden, um sich gegenseitig umzubringen. Auch die Bankrotte könnte ich erwähnen und die Justiz, die sich der Vermögen der Bankrotten bemächtigt, um die Gläubiger darum zu betrügen!‹ – ›All dieses ist unerläßlich‹, entgegnete der einäugige Doktor, ›das Unglück des einzelnen begründet das Wohl der Gesamtheit, so daß es ums allgemeine Wohl desto besser steht, je mehr privates Unglück es gibt.‹ Während er dergestalt philosophierte, verfinsterte der Himmel sich, aus allen vier Ecken der Welt bliesen die Winde, und angesichts des Hafens von Lissabon wurde das Schiff vom fürchterlichsten Unwetter überfallen.«

> Voltaire: Candide oder Die Beste der Welten.
> Übers. von Ernst Sander. Stuttgart: Reclam, 1971
> [u. ö.]. (Universal-Bibliothek. 6549 [2].) S. 13.

Beim anschließenden Schiffbruch errettet der gutherzige Wiedertäufer Jacques einen Matrosen, der ihn vorher hatte umbringen wollen, um bei seiner Rettungsaktion selbst über Bord zu gehen und zu ertrinken. Candide und Pangloss aber müssen, kaum glücklich dem Schiffbruch entronnen, das Erdbeben von Lissabon über sich ergehen lassen:

»Kaum jedoch haben sie unter Tränen über den Tod ihres Wohltäters die Stadt betreten, als sie fühlten, daß die Erde unter ihren Füßen zu beben beginnt. Brausend erhebt sich das Meer im Hafen und zerschellt die dort vor Anker liegenden Schiffe. Flammen und Aschenwirbel hüllen Straßen und Plätze ein, Häuser stürzen zusammen, Dächer fallen auf die Mauern, die Mauern zerbersten. Dreißigtausend Einwohner jeglichen Alters und Geschlechts werden unter den Trümmern begraben. Pfeifend und fluchend rief der Matrose: ›Hier gibt's was zu verdienen!‹ – ›Welches mag der zureichende Grund für dieses Naturwunder sein?‹ fragte Pangloß. ›Der Jüngste Tag ist gekommen‹, jammerte Candid. [. . .] Später beteiligten sie sich wie die andern an der Rettung der Einwohner, die dem Tod entgangen waren. Einige Bürger, denen sie beigestanden hatten, gaben ihnen ein so gutes Mittagessen, wie man es nach einem solchen Unglück irgend beschaffen konnte: wahrlich, das Mahl verlief traurig, die Geladenen benetzten das Brot mit Tränen; Pangloß jedoch tröstete sie, indem er versicherte, die Dinge könnten gar nicht anders sein. ›Denn‹, sagte er, ›all dieses ist so gut wie irgend möglich. Wenn es bei Lissabon einen Vulkan gibt, konnte er nicht anderswo sein. Denn unmöglich ist es, daß die Dinge nicht dort sind, wo sie sind. Denn es ist alles gut.‹

Ein kleiner, schwarzhaariger, dem Inquisitionskollegium angehörender Mann, der neben ihm saß, ergriff höflich das Wort und sagte: ›Augenscheinlich glauben der Herr nicht an die Erbsünde; denn wenn alles gut ist, gibt es weder Sündenfall noch Strafe.‹«

Ebd. S. 15 f.

Kaum haben sie das Erdbeben überstanden, als sie wegen der »Alles ist gut«-Parole in die Fänge der Inquisition geraten:

»Nach dem Erdbeben, das Dreiviertel von Lissabon zerstört hatte, wußten die Weisen des Landes kein wirksameres Mittel gegen den völligen Untergang der Stadt zu finden, als dem Volke den Anblick eines schönen Autodafé zu gewähren. Die Universität Coimbra hatte das entscheidende Wort gesprochen, daß das Schauspiel einiger feierlichst auf langsamem Feuer verbrannter Menschen ein unfehlbares Mittel sei, die Erde am Beben zu verhindern.

Man hatte infolgedessen einen Biskayer aufgegriffen, der der Ehe mit einer Gevatterin überführt worden war, und zwei Portugiesen, die beim Verzehren eines Huhnes den Speck fortgeworfen hatten: und nach Tisch fesselte man den Doktor Pangloß und seinen Schüler Candid, den einen, weil er gesprochen, den andern, weil er mit beistimmender Miene zugehört hatte; beide wurden getrennt in zwei außerordentlich kühle Gemächer gebracht, in denen einen die Sonne niemals belästigt. Acht Tage später wurden sie beide mit einem Sanbenito bekleidet, ihre Häupter schmückte man mit Papiermitren. Candids Mitra und Sanbenito waren mit umgekehrten Flammen und mit Teufeln ohne Schwanz und Klauen

An Attempt to *glorify* the Cause of the late most DREADFUL EARTHQUAKE & Fiery Irruption *at* LISBON Or Superstition & Idolatry & Perfection for Confcience fake *the most probable means of averting* National Calamities.

Englisches Flugblatt vom November 1755. Auf der Karikatur wird die Inquisition für das Erdbeben verantwortlich gemacht.

bemalt; Pangloß' Teufel jedoch hatten Klauen und Schwänze, und die Flammen standen lohen aufrecht. So gekleidet schritten sie in einer Prozession einher und mußten eine sehr pathetische Predigt anhören, der eine schöne Trauermusik folgte. Candid wurde während des Gesanges mit Ruten gepeitscht; der Biskayer und jene beiden, die durchaus keinen Speck hatten essen wollen, wurden verbrannt, und Pangloß hängte man, obschon das sonst nicht Brauch war. Selbigen Tages bebte die Erde noch einmal unter fürchterlichem Getöse.

Entsetzt, bestürzt, seiner Sinne nicht mächtig, über und über blutend und zitternd, sagte Candid sich: ›Wenn dies die beste aller möglichen Welten ist, wie müssen dann erst die andern sein?‹«

Ebd. S. 17 f.

Im »Candide« ist also, freilich in satirischer Verzerrung, eine grobe Grundstruktur von Kleists Erdbeben-Geschichte vorgegeben: auf das Überstehen der Naturkatastrophe folgt der tatsächliche Untergang im gesellschaftlichen Opfer- und Strafritual. Bei Kleist ist jedoch tragisch gewendet, was bei Voltaire als beißende Philosophiesatire erscheint, wenn er Leibniz-Pangloß und vorher dessen vermeintlichen Fürsprecher Jacques beim Erdbeben von Lissabon untergehen läßt.

Seit Leibniz war in der philosophischen Begrifflichkeit die Unterscheidung zwischen einem natürlichen Übel (»mal physique«), zu dem also Erdbeben und andere Naturkatastrophen, auch Epidemien, gehören, und einem moralischen Übel (»mal moral«) üblich geworden, wobei Kriege, Tyrannei, Schreckensherrschaft zu letzterem zählen. KLEIST war mit dieser Begrifflichkeit vertraut, auch mit dem Katalog von natürlichen und moralischen Übeln, der in einschlägigen philosophischen Schriften aufgereiht wird, wie einem Brief an die Verlobte Wilhelmine von Zenge vom 15. August 1801 zu entnehmen ist:

»Was heißt das auch, etwas Böses tun, der Wirkung nach? Was ist *böse*? *Absolut* böse? Tausendfältig verknüpft und verschlungen sind die Dinge der Welt, jede Handlung ist die

Mutter von Millionen andern, und oft die schlechteste
erzeugt die besten – Sage mir, wer auf dieser Erde hat schon
etwas *Böses* getan? Etwas, das böse wäre *in alle Ewigkeit
fort*–? Und was uns auch die Geschichte von Nero, und
Attila, und Cartouche[8], von den Hunnen, und den Kreuzzü-
gen, und der spanischen Inquisition erzählt, so rollt doch
dieser Planet immer noch freundlich durch den Himmels-
raum, und die Frühlinge wiederholen sich, und die Menschen
leben, genießen, und sterben nach wie vor. –«

SW II,683.

Im »Candide« (wie auch in Kleists »Erdbeben«) folgt auf das
Überstehen des natürlichen Übels (des Erdbebens) der
Untergang am moralischen Übel (dort der Inquisition). Dieser Bewegung wohnt dialektisch eine Gegenbewegung inne,
denn die Inquisition begreift sich selbst freilich nicht als
moralisches Übel, sondern als moralische Rechtsinstanz, die
in theologischer Interpretation umgekehrt das natürliche
Übel des Erdbebens als Folge (durch Gottes Rache) von
moralischen Vergehen ansieht. In theologischer Interpretation erscheint das natürliche Übel als Folge des moralischen
(was zwecks Verhütung das Opfer durch die Inquisition nach
sich zieht), während dieser Vorgang in philosophischer Interpretation als moralisches Übel infolge des natürlichen
erscheint. Diese Dialektik zweier Interpretationen beherrscht auch Kleists Erzählung, wie ihn überhaupt der
Zusammenhang von natürlichen (physischen) und moralischen (gesellschaftlichen) Vorgängen nachdrücklich interessiert hat. In dem Aufsatz »Über die allmähliche Verfertigung
der Gedanken beim Reden« (auch 1805–06 in Königsberg
entstanden) findet sich dazu eine Überlegung, die für das
Verständnis der Werke bedeutsam ist:

»Dies ist eine merkwürdige Übereinstimmung zwischen den
Erscheinungen der physischen und der moralischen Welt,

---

8 Den Räuber Cartouche erwähnte übrigens auch Rousseau in seinem Brief an
Voltaire (vgl. obiges Zitat).

welche sich, wenn man sie verfolgen wollte, auch noch in den Nebenumständen bewähren würde.«

SW II,321.

Kleist interessiert sich also für die Entsprechungen zwischen der physischen und der moralischen Welt. »Lächeln Sie nicht, mein Freund«, hatte er schon 1799 im »Aufsatz, den sicheren Weg des Glücks zu finden« an Rühle von Lilienstern geschrieben, »es waltet ein gleiches Gesetz über die moralische wie über die physische Welt« (SW II,308). Keineswegs verlagert sich sein Interesse vom Natürlichen zum Moralischen,[9] sondern ist auf das Verhältnis beider gerichtet.

Nur die natürlichen oder physischen Dimensionen des Erdbebens von Lissabon wollte IMMANUEL KANT in seiner Schrift »Geschichte und Naturbeschreibung der merkwürdigsten Vorfälle des Erdbebens, welches an dem Ende des 1755sten Jahres einen großen Teil der Erde erschüttert hat« (1755 erschienen) erfassen; er lehnte es ausdrücklich ab, sich mit anderen Fragen auseinanderzusetzen:

---

9 In diesem Sinn hat Harald Weinrich (Anm. 6, S. 74) Kleists Erzählung vor dem Hintergrund der philosophischen Diskussion zu interpretieren versucht. Während Weinrich damit die Erzählung gewissermaßen aus dem Diskussionskontext herauslöst, sieht Bourke (bes. S. 242 f.) die Verbindungslinien wiederum zu eng, indem er einen unmittelbaren Einfluß Voltaires auf Kleist annehmen will. Kleist habe bis 1801 Rousseau nahegestanden, sich dann aber »entschieden auf die Seite Voltaires geschlagen« (S. 242). Dazu ist erstens festzuhalten, daß Bourke (wie fast alle Interpreten des Streits zwischen Voltaire und Rousseau) die Bedeutung der Argumentation von Rousseau erheblich unterschätzt, denn Rousseau vertritt keineswegs einfach eine orthodoxe Optimismus-Position, er nagelt Voltaire vielmehr auf das alles entscheidende Problem des Gottesdaseins fest. Zweitens geht es hierbei gar nicht um die Frage des unmittelbaren Einflusses; als ob Kleist die eine oder die andere Position übernommen oder geteilt hätte. Kleist leistet mit seiner Erzählung gewissermaßen einen eigenständigen Beitrag im vorgegebenen philosophischen Diskussionskontext, wobei er weder Rousseau noch Voltaire unmittelbar folgt, sondern das Problem, das beide miteinander hatten, nun zum Problem seiner Erzählung werden läßt. Aber, dies muß dabei unbedingt berücksichtigt werden, Kleists Erzählung ist kein Stück Philosophie (vgl. dazu ausführlich den folgenden Abschnitt II,3), so daß erst unter Berücksichtigung der ästhetischen Dimension die Beziehung zu Voltaire (wie auch zu Rousseau) ins rechte Licht tritt.

»Ich fange nunmehr von der Geschichte des letztern Erdbebens selber an. Ich verstehe unter derselben keine Geschichte
der Unglücksfälle, die die Menschen dadurch erlitten haben,
kein Verzeichniß der verheerten Städte und unter ihrem
Schutt begrabenen Einwohner. Alles, was die Einbildungskraft sich Schreckliches vorstellen kann, muß man zusammen
nehmen, um das Entsetzen sich einigermaßen vorzubilden,
darin sich die Menschen befinden müssen, wenn die Erde
unter ihren Füßen bewegt wird, wenn alles um sie her ein-
stürzt, wenn ein in seinem Grunde bewegtes Wasser das
Unglück durch Überströmungen vollkommen macht, wenn
die Furcht des Todes, die Verzweifelung wegen des völligen
Verlusts aller Güter, endlich der Anblick anderer Elenden
den standhaftesten Muth niederschlagen. Eine solche Erzählung würde rührend sein, sie würde, weil sie eine Wirkung auf
das Herz hat, vielleicht auch eine auf die Besserung desselben
haben können. Allein ich überlasse diese Geschichte geschickteren Händen. Ich beschreibe hier nur die Arbeit der
Natur, die merkwürdigen natürlichen Umstände, die die
schreckliche Begebenheit begleitet haben, und die Ursachen
derselben.«

Immanuel Kant: Gesammelte Schriften. Akademie-
Ausgabe. Abt. 1. Bd. 1. Berlin: Reimer, 1910. S. 434.

Diese Passage war erstmals von Otto Brahm in seinem Kleist-
buch 1884 zitiert worden (S. 190) und geistert seither als
gleichbleibendes Zitat durch die Ausgaben mit dem Hinweis,
daß sich Kleist womöglich von Kants Bemerkung über die
»geschickteren Hände« habe inspirieren lassen. In der Tat
dürfte er aber eher durch Kants Auffassung von der Dialektik
in der Natur angeregt worden sein. Kant untersucht durchweg nicht nur die katastrophalen Folgen des Erdbebens, sondern ebenso die wohltätigen. So hatte z. B. eine mineralische
Quelle zu Töplitz in Böhmen infolge des Bebens stärker zu
sprudeln begonnen, was KANT mit den Worten kommentiert:

»Die Einwohner dieser Stadt hatten gut te Deum laudamus zu
singen, indessen daß die zu Lissabon ganz andere Töne

anstimmten. So sind die Zufälle beschaffen, welche das menschliche Geschlecht betreffen. Die Freude der einen und das Unglück der andern haben oft eine gemeinschaftliche Ursache.«

Ebd. S. 437.

Insgesamt zielt KANT, ähnlich wie auch Rousseau, auf eine Zurückweisung von metaphysischen oder theologischen Interpretationen:

»Als Menschen, die geboren waren, um zu sterben, können wir es nicht vertragen, daß einige im Erdbeben gestorben sind, und als die hier Fremdlinge sind und kein Eigentum besitzen, sind wir untröstlich, daß Güter verloren worden, die in kurzem durch den allgemeinen Weg der Natur von selbst wären verlassen worden.

Es läßt sich leicht rathen: daß, wenn Menschen auf einem Grunde bauen, der mit entzündbaren Materien angefüllt ist, über kurz oder lang die ganze Pracht ihrer Gebäude durch Erschütterungen über den Haufen fallen könne; aber muß man denn darum über die Wege der Vorsehung ungeduldig werden? Wäre es nicht besser also zu urtheilen: Es war nöthig, daß Erdbeben bisweilen auf dem Erdboden geschähen, aber es war nicht nothwendig, daß wir prächtige Wohnplätze darüber erbaueten? Die Einwohner in Peru wohnen in Häusern, die nur in geringer Höhe gemauert sind, und das übrige besteht aus Rohr. Der Mensch muß sich in die Natur schicken lernen, aber er will, daß sie sich in ihn schicken soll.

Was auch die Ursache der Erdbeben den Menschen auf einer Seite jemals für Schaden erweckt hat, das kann sie ihm leichtlich auf der andern Seite mit Gewinst ersetzen.«

Ebd. S. 456.

KANTS »Schlußbetrachtung« lautet:

»Der Anblick so vieler Elenden, als die letztere Katastrophe unter unsern Mitbürgern gemacht hat, soll die Menschenliebe rege machen und uns einen Theil des Unglücks empfinden lassen, welches sie mit solcher Härte betroffen hat. Man verstößt aber gar sehr dawider, wenn man dergleichen Schicksale jederzeit als verhängte Strafgerichte ansieht, die die verheerte Städte um ihrer Übelthaten willen betreffen, und wenn wir diese Unglückselige als das Ziel der Rache Gottes betrachten, über die seine Gerechtigkeit alle ihre Zornschalen ausgießt. Diese Art des Urtheils ist ein sträflicher Vorwitz, der sich anmaßt, die Absichten der göttlichen Rathschlüsse einzusehen und nach seinen Einsichten auszulegen.

Gleichwohl sehen wir, daß unendlich viel Bösewichter in Ruhe entschlafen, daß die Erdbeben gewisse Länder von je her erschüttert haben ohne Unterschied der alten oder neuen Einwohner, daß das christliche Peru so gut bewegt wird als das heidnische, und daß viele Städte von dieser Verwüstung von Anbeginn befreit geblieben, die über jene sich keines Vorzuges der Unsträflichkeit anmaßen können.

So ist der Mensch im Dunkeln, wenn er die Absichten errathen will, die Gott in der Regierung der Welt vor Augen hat. Allein wir sind in keiner Ungewißheit, wenn es auf die Anwendung ankommt, wie wir diese Wege der Vorsehung dem Zwecke derselben gemäß gebrauchen sollen. Der Mensch ist nicht geboren, um auf dieser Schaubühne der Eitelkeit ewige Hütten zu erbauen. Weil sein ganzes Leben ein weit edleres Ziel hat, wie schön stimmen dazu nicht alle die Verheerungen, die der Unbestand der Welt selbst in denjenigen Dingen blicken läßt, die uns die größte und wichtigste zu sein scheinen, um uns zu erinnern: daß die Güter der Erden unserm Triebe zur Glückseligkeit keine Genugthuung verschaffen können!«

Ebd. S. 459 f.

3. Die Gattungstradition der moralischen Erzählung: »contes moreaux« und »contes philosophiques«

Als Titel für den ersten Band seiner Erzählungen (mit dem »Kohlhaas«, der »Marquise« und dem »Erdbeben«) hatte Kleist im Mai 1810 seinem Verleger Georg Reimer vorge-

schlagen: »Moralische Erzählungen von Heinrich von Kleist«
(SW II,835). Der Band erschien dann im Herbst 1810, aber
mit dem einfachen Titel »Erzählungen«, wobei nicht gesi-
chert ist, ob die Änderung auf Reimer oder auf Kleist zurück-
geht, die Billigung des Autors wird sie in jedem Fall gefunden
haben. Für das Verständnis von Kleists Erzählungen ist die
Änderung nicht unerheblich, denn sie verweist zuerst auf die
Gattungstradition, in der diese stehen, eben die der »moralischen Erzählungen«, der sie dabei aber schon so weit entrückt
sind, daß der einfache Begriff »Erzählungen« in der Tat präzi-
ser erscheint, »moralische Erzählungen« kaum noch angemessen sein mag. Mit der deutschen Tradition der moralischen Erzählungen im 18. Jahrhundert, etwa von August
Gottlieb Meißner, Christian Leberecht Heyne oder Friedrich
Wilhelm Basilius von Ramdohr hat Kleist allerdings nur
wenig gemein, wie die einschlägigen Untersuchungen von
Conrady (»Das Moralische in Kleists Erzählungen«) und
Hugo Beyer (»Die moralische Erzählung in Deutschland bis
zu Heinrich von Kleist«, Frankfurt a. M. 1941, Neudr. Hil-
desheim 1973) gezeigt haben. Diese Erzählungen fanden
ihren Leserkreis über die Moralischen Wochenschriften, die
ab etwa 1720 in Deutschland erschienen, und ergänzten als
erzählende Passagen den diskursiven Teil der Wochenschrift.
Ihr Erscheinen im Rahmen eines solchen ›Bildungspro-
gramms‹ und die in ihnen idealisierten Bürgertugenden, die
als Exempla eine identifikatorische Vermittlung leisten sollten, bestimmten gleichzeitig ihren Leserkreis, der ein bürger-
licher und nicht mehr aristokratischer war. (Vgl. Adolf Has-
linger, »Vom Humanismus zum Barock«, in: »Handbuch der
deutschen Erzählung«, hrsg. von Karl Konrad Polheim,
Düsseldorf 1981, S. 37–55 und 560–564 sowie Jürgen Jacobs,
»Die deutsche Erzählung im Zeitalter der Aufklärung«, ebd.,
S. 56–71 und 564–566.) Man hat deshalb in der Kleist-Forschung immer wieder versucht, Kleists Erzählungen mit der
romanischen Novellentradition in Verbindung zu bringen,
sowohl mit der italienischen des Giovanni Boccaccio als auch,
häufiger, mit der spanischen der »Novelas ejemplares« von

Miguel Cervantes. Trotz einiger Berührungspunkte ergibt sich dabei doch keine weitreichende Übereinstimmung, was zuletzt zusammenfassend nochmals von Richard Samuel (S. 75 f.) erörtert wurde. Naheliegender erscheint die Beziehung zur französischen Tradition der »contes moreaux«. Der Begriff wurde verbreitet durch Jean-François Marmontel, dessen »contes moreaux« 1763 erschienen und bis 1770 als »Moralische Erzählungen« von Friedrich Valentin Molter übersetzt wurden. An Marmontel schloß auch Sophie von la Roche mit ihren »Moralischen Erzählungen im Geschmack Marmontels« (Mannheim 1782–84) an.

Kleist könnte bei seinem Begriffsgebrauch an eine Untergattung der »contes moreaux« gedacht haben, die ebenfalls aus Frankreich stammt, die »contes philosophiques«. Dieser Erzähltypus wurde namentlich von Voltaire geprägt, z. B. mit dem »Zadig« (1748) oder eben dem oben besprochenen »Candide« (1759). Auf die bislang von der Kleistforschung unbeachtete Verbindung zu diesem Typus der »contes moreaux« und »contes philosophiques« hat unseres Wissens erst Harry Steinhauer aufmerksam gemacht. Eine deutsche Ausgabe von Voltaires Erzählungen ist 1810 unter eben dem Titel erschienen, den Kleist Reimer vorgeschlagen hatte: Voltaire, »Moralische Erzählungen«, frei nach dem Französischen bearbeitet von J. C. Hagen (Gf. Basse), Quedlinburg 1810.

Die Nähe und die Ferne zwischen dem Erzählen von Voltaire und dem von Kleist können deutlich werden lassen, warum Kleist womöglich zunächst an den Titel »Moralische Erzählungen« dachte, dann aber auf das zwar unbestimmtere, doch genauere »Erzählungen« auswich. Für Voltaire ist das Erzählen eine Fortführung der Philosophie mit anderen Mitteln, es ist ein Philosophieren in den Formen des fiktionalen Schreibens, wobei er insbesondere die unterkühlten bis sehr kalten Formen der ironischen Sarkasmen oder gar Zynismen pflegte. (Diese Art des philosophischen Schreibens findet sich gesteigert noch beim Marquis de Sade.) Kleist könnte sich mit Voltaires Art des philosophischen Schreibens zumal in der

Phase befaßt haben, in der er selbst daran dachte, popularphilosophischer Schriftsteller zu werden (in den Jahren 1800 bis 1801, einschließlich des ersten Parisaufenthalts). Die ästhetische Prosa, die Kleist später als literarischer Schriftsteller verfaßte, hat mit Voltaire gewiß noch ein ausgeprägtes philosophisches Interesse gemein, aber sie stellt keineswegs mehr ein Philosophieren mit den Mitteln des fiktionalen Schreibens dar. Philosophische Fragestellungen liegen Kleists Erzählungen fast durchweg zugrunde, insbesondere z. B. den kurzen Prosastücken wie dem Gespräch »Über das Marionettentheater«, die gelegentlich mit philosophischen Theoriestücken verwechselt werden, was sie nicht sind. Kleists Prosa hat wohl philosophische Probleme zum Gegenstand, ist aber selbst keine Philosophie, [10] sie sucht auch nicht, wie Voltaire, etwa mit den ästhetischen Mitteln des Sarkasmus zu philosophischen Klärungen und Lösungen zu gelangen. Von den noch recht grobschlächtigen Gestaltungsformen Voltaires, die freilich ihren Reiz in sich haben, ist Kleists Prosa durch eine unendliche Subtilisierung weit entfernt. Seine Prosa ist durch Lakonik ausgezeichnet. Der Titel »Moralische Erzählungen« wäre also nur gerechtfertigt, wenn Kleists Erzählungen in der Tat eine Klärung und Lösung philosophischer Fragen anstrebten, was sie nicht tun; sie entfalten ›nur‹ in der ästhetischen Besonderung ein philosophisches Problemfeld, wobei die Bescheidung auf das »nur« ihren geschichtlichen und bleibenden ästhetischen Rang ausmacht – sie sind ›nur‹ »Erzählungen«.

10 Kleist zerreißt also keineswegs einfach den Zusammenhang von Erzählen und Räsonnieren, wie Christa Bürger meint (in Wellbery, S. 103), er steht durchaus in der Tradition der aufklärerischen französischen »Contes«, die er ästhetisch zugleich jedoch aufhebt.

III. Geschichte der Erstdrucke (1807 und 1810)

»Das Erdbeben in Chili« ist als erste Erzählung von Kleist im Druck erschienen. Sie wurde unter dem Titel »Jeronimo und Josephe. Eine Scene[1] aus dem Erdbeben zu Chili, vom Jahr 1647« in der Zeitung »Morgenblatt für gebildete Stände« des Tübinger Verlegers Johann Friedrich Cotta vom 10. bis 15. September 1807 (Morgenblatt, Nr. 217–221) veröffentlicht (vgl. Abb. S. 81). Während Kleists Inhaftierung in Frankreich (von Ende Januar bis Ende Juli 1807) war das Manuskript der Erzählung durch Vermittlung seines Freundes Otto August Rühle von Lilienstern an Cotta gelangt. Da Kleists Status als Zivil- oder Kriegsgefangener umstritten war, mußte er anfänglich für seinen Lebensunterhalt selbst aufkommen, so daß er in materielle Not geraten war. Seine Freunde versuchten, ihm in dieser Situation durch den Verkauf seiner literarischen Werke zu helfen. Auf diese Weise gelangten die Manuskripte zweier Schauspiele zu Adam Müller nach Dresden, der eines herausgab (»Amphitryon«, 1807), und eines zur – später mißglückten – Erstaufführung an Johann Wolfgang von Goethe weitervermittelte (»Der zerbrochne Krug«, 1808 in Weimar uraufgeführt). Das Manuskript des »Erdbebens« schickte Rühle von Lilienstern an Cotta, der es im »Morgenblatt« abdruckte. Da Kleist in jenem Zeitraum seit Anfang Oktober 1806 keinen Kontakt zu Rühle mehr gehabt hatte, war die Erzählung »mit einiger Wahrscheinlichkeit«, wie Hans Joachim Kreutzer folgerte, »spätestens im Herbst 1806 vollendet« (S. 189) . »Das Erdbeben in Chili« ist wahrscheinlich in der Königsberger Zeit (Mai

---

1 Den dramatischen Begriff »Scene« gebraucht Kleist sonst noch zweimal in seinen Erzählungen: am Anfang des »Kohlhaas« wird eine dramatische Szenenänderung auf der Burg des Junkers von Tronka beschrieben: »als sich die Szene plötzlich änderte, und der Junker Wenzel von Tronka, mit einem Schwarm von Rittern, Knechten und Hunden, von der Hasenhetze kommend, in den Schloßhof sprengte« (SW II,15). In der »Marquise von O...« heißt es nach der Ankunft des totgeglaubten Grafen F.: »Nachdem die Szene unbegreiflicher Verwunderung vorüber war ...« (SW II, 110).

Nro. 217.

Morgenblatt
für
gebildete Stände.

Donnerstag, 10. September, 1807.

— Der arme Mensch ist mehr durch Leidenschaft,
Als selbst durch die Vernunft gut oder lasterhaft.
Löwen.

*Beginn des Erstdrucks der Erzählung im »Morgenblatt
für gebildete Stände« vom 10. 9. 1807.*

Jeronimo und Josephe.
Eine Scene aus dem Erdbeben zu Chili,
vom Jahr 1647.

In St. Jago, der Hauptstadt des Königreichs Chili,
stand gerade in dem Augenblicke der großen Erderschütterung
vom Jahre 1647, bey welcher viele tausend Menschen ihren
Untergang fanden, ein junger, auf ein Verbrechen angeklagter Spanier, Namens Jeronimo Rugera, an einem Pfeiler des Gefängnisses, in welches man ihn einge-
sperrt hatte, und wollte sich erhenken. Don Henrico
Asteron, einer der reichsten Edelleute der Stadt, hatte
ihn ohngefähr ein Jahr zuvor aus seinem Hause, wo er als
Lehrer angestellt war, entfernt, weil er sich mit Donna

1805 bis August 1806) entstanden, in der Kleist an den
erwähnten beiden Komödien, vermutlich auch am »Michael
Kohlhaas« und vielleicht schon an der »Marquise von O . . .«
gearbeitet hat.

Für die Entstehung um 1806 spricht zumindest noch eine
Überlieferung, die dem Kleist-Biographen EDUARD VON
BÜLOW (1803–53) über Luise von Zenge (1782–1855), die
Schwester von Kleists ehemaliger Verlobten Wilhelmine von
Zenge (1780–1852), zugetragen worden war. Kleist soll dem-
nach 1806 in Königsberg bei Besuchen im Hause von Wilhel-
mine, die inzwischen mit dem Kant-Nachfolger Wilhelm
Traugott Krug verheiratet war, seine »kleinen« Erzählungen
vorgelesen haben, so Bülow in »H. v. Kleists Leben und
Briefe«, Berlin 1848, S. 44 f.:

»Die Schwester [Luise von Zenge] stellte ihn ihrem Schwager
[Krug] vor, der ihn selbst zu ihnen zu kommen bat, und so
ward er bald ihr täglicher Gast, las ihnen seine kleinen,
damals noch nicht gedruckten Erzählungen vor und hörte
gern ihre Urteile darüber an. [. . .] Die Kunst, vorzulesen,
war ein Gegenstand, über den Kleist viel nachgedacht hatte
und oft sprach. Er fand es unverzeihlich, daß man dafür so
wenig tue und jeder, der die Buchstaben kenne, sich einbilde,
auch lesen zu können, da es doch ebenso viel Kunst erfordere,
ein Gedicht zu lesen, als zu singen, und er hegte daher den
Gedanken, ob man nicht, wie bei der Musik, durch Zeichen
auch einem Gedichte den Vortrag andeuten könne?«

Zit. nach: Lebensspuren. Nr. 144 f.

Für eine frühere Datierung der Erzählung, die in der älteren
Forschung gelegentlich versucht wurde, gibt es trotz einiger
thematischer Berührungspunkte des »Erdbebens« mit Kleists
dramatischem Erstling »Die Familie Schroffenstein« (1803
erschienen) keine hinreichenden Anhaltspunkte.

Als Ludwig Tieck nach Kleists Tod die Ausgabe der hinter-
lassenen Schriften Kleists vorbereitete, wandte er sich mit der
Bitte um Manuskripte u. a. an Sophie von Haza, die Frau von

Adam Müller, die Tiecks Anfrage an ihre Tochter Johanna weiterleitete. JOHANNA VON HAZA antwortete Tieck am 26. November 1816:

»Noch hatte meine Mutter mehrere Hefte von seiner [Kleists] eignen Hand, ›Fragmente‹ überschrieben. Es waren wirklich nur solche; außer der Novelle Josephe und Jeronimo und der Erzählung vom Roßkamm[2] – (den Namen habe ich vergessen) enthielten sie nur einzelne hingeworfne Ideen und Bemerkungen, die aber größtenteils voll tiefen Sinns waren und die gleichfalls mehr zur Anschauung ›seiner Seele‹ dienen, als seine eigentlichen Dichtungen. Auch von diesen weiß ich nicht, wo sie hingekommen, noch ob sie im Druck erschienen sind; daher *nenne* ich sie Ihnen wenigstens.«

Zit. nach: Nachruhm. Nr. 134.

Da sich Johanna von Haza ausdrücklich an den Titel »Josephe und Jeronimo« erinnert, scheint der Titel beim Abdruck im »Morgenblatt« in der Tat auf Kleist zurückzugehen und nicht von Cotta gewählt zu sein. Dafür spricht auch, daß Kleist selbst in einem Brief an Cotta den – korrekten – Titel »Jeronimo und Josephe« erwähnt. Nach seiner Rückkehr aus der französischen Gefangenschaft wollte KLEIST den Abdruck im »Morgenblatt« verhindern, um weiterhin frei über die Erzählung verfügen zu können; deshalb forderte er das Manuskript in einem Brief an Johann Friedrich Cotta vom 17. September 1807 zurück, doch der Abdruck war schon vom 10. bis 15. September erfolgt:

»Ew. Wohlgebohren haben durch den HE. v. Rühle, während meiner Abwesenheit aus Deutschland, eine Erzählung erhalten, unter dem Titel, Jeronimo und Josephe, und diese Erzählung für das Morgenblatt bestimmt. So lieb und angenehm mir dies auch, wenn ich einen längeren Aufenthalt in Frankreich gemacht hätte, gewesen sein würde, so muß ich doch jetzt, da ich zurückgekehrt bin, wünschen, darüber auf

2 Gemeint ist »Michael Kohlhaas«.

Brief von Kleist an Cotta, 17. 9. 1807.

Ich Sie Nachrichten eingeholt, um das Manuscript, oder nachstehende Adresse, gefälligst wieder zurückzusenden. Ich sehe voraus, daß dieses Manuscript Sie Nachrichten in einem Act der Vorläufigkeit setzt, und bin mit der vorzüglichsten Hochachtung

H. Kleist

Dresden, 11ten Sept.
1807.

ergebenster
Heinrich von Kleist,
Dresden, Rampische...
p. 123

eine andre Art verfügen zu können. Wenn daher mit dem
Abdruck noch nicht vorgegangen ist, so bitte ich Ew. Wohlgebohren ergebenst, mir das Manuscript, unter nachstehen-
der Adresse, gefälligst wieder zurückzusenden. Ich setze voraus, daß dieser Wunsch Ew. Wohlgebohren in keine Art der
Verlegenheit setzt, und bin mit der vorzüglichsten Hochachtung Ew. Wohlgebohren ergebenster Heinrich von Kleist
[. . .].«

> Zit. nach: Helmut Sembdner: Heinrich von Kleist
> zum 200. Geburtstag. Eine Privatsammlung. In:
> Marbacher Magazin 7 (1977) S. 12 f. [Vgl. SW
> II,791.]

Cotta erhielt dieses Schreiben (vgl. Abb. S. 84 f.) am 27. September und antwortete Kleist am 2. Oktober 1807.

Der zweite Abdruck des »Erdbebens« zu Kleists Lebzeiten
erfolgte 1810 im ersten Band seiner Erzählungen. Am
30. April 1810 schloß KLEIST mit dem Berliner Verleger
Georg Andreas Reimer (1776–1842) einen Vertrag über einen
»Band von Erzählungen« – gegen ein Honorar von 50 Talern:

»30 Thl. habe ich auf Abschlag eines Honorars von 50 Thl.
für einen Band von Erzählungen, der in drei Monaten à dato[3]
abzuliefern ist, von H. Buchhändler Reimer, empfangen.
Welches ich hiermit bescheinige.
Berlin, den 30. April 1810   Heinrich v. Kleist.«

> SW II,835.

Für diesen Band Erzählungen sah Kleist den »Michael Kohlhaas« vor, der fragmentarisch bereits im 6. Heft des Journals
»Phöbus« (Juni, ausgegeben: November 1808) erschienen
war, das Kleist zusammen mit Adam Müller in Dresden herausgab. Ferner »Die Marquise von O . . .«, die er vollständig

---

3 Vom Tag der Ausstellung an, d. h. bis Ende Juli. Die Verzögerung bis zum
September 1810 ist wohl auf die Ausführung des »Michael Kohlhaas« zurück-
zuführen, vielleicht auch auf anderweitige Belastungen bei der Herausgabe
des »Käthchens« und der Vorbereitung der Zeitung »Berliner Abendblätter«,
die ab 1. Oktober erschien.

schon im 2. Heft des »Phöbus« (Februar 1808) veröffentlicht hatte, und schließlich »Das Erdbeben in Chili«. Kleist redigierte die Texte nach den Erstdrucken im »Phöbus« bzw. im »Morgenblatt«. Wahrscheinlich im Mai 1810, wohl kaum erst Ende August, oder gar schon im Jahr 1809, wie die ältere Forschung noch vermutete, schickte KLEIST zunächst das Fragment des »Kohlhaas« an Reimer und schlug ihm zugleich als Titel des Bandes vor: »Moralische Erzählungen von Heinrich von Kleist«[4]:

»Ich schicke Ihnen das Fragment vom Kohlhaas, und denke, wenn der Druck nicht zu rasch vor sich geht, den Rest, zu rechter Zeit, nachliefern zu können.
Es würde mir lieb sein, wenn der Druck so wohl ins Auge fiele, als es sich, ohne weiteren Kostenaufwand, tun läßt, und schlage etwa den ›Persiles‹[5] vor.
Der Titel ist: Moralische Erzählungen von Heinrich von Kleist.«

SW II,835.

Die Beschaffung des Erstdrucks vom »Erdbeben« im »Morgenblatt« bereitete Anfang September 1810 dann einige Schwierigkeiten. Kleist befand sich zu dieser Zeit wieder in argen finanziellen Nöten, wie seine Briefe an Reimer und andere Verleger bezeugen. KLEIST an Reimer, 4. September 1810:

»Ich bitte um Geld, wenn Sie es entbehren können; denn meine Kasse ist leer. – Die Nummern vom Morgenblatt sind 217 bis 221, Septb. 1807.«

SW II,838.

---

4 Zur Gattungstradition der »Moralischen Erzählung« vgl. Kap. II, 3.
5 Cervantes' Roman »Die Drangsale des Persiles« (1617) war 1808 in einer Übersetzung von Kleists Bekanntem Franz Theremin (1780–1846) bei Reimer erschienen.

Am 5. September folgt die Notiz:

»In den Heften, liebster Reimer, die Sie mir geschickt haben,
finde ich die Erzählung [Erdbeben in Chili] nicht. Es ist mir
höchst unangenehm, daß Ihnen diese Sache so viel Mühe
macht. Hierbei erfolgt inzwischen die Marquise von O . . .«

Ebd.

Am 8. September 1810 schickte KLEIST dann den redigierten
Text des »Erdbebens« nach dem Abdruck im »Morgenblatt«,
das er sich bei einem gewissen Seydel[6] besorgt hatte, an
Reimer:

»Hier ist das Morgenblatt; schicken Sie es ja dem Seydel bald
wieder, denn es liegt ihm am Herzen wie ein Werk in usum
Delphini[7].«

SW II,839.

---

6 Abgesehen von Helmut Sembdners fragendem Hinweis auf den Musikdirek-
tor Seidel (SW II, 1004) muß dieser Herr Seydel, der sein Exemplar des
»Morgenblatts« für die Überarbeitung des »Erdbebens« zur Verfügung stellte, als nicht identifiziert angesehen werden. Wenn es sich in der Tat um einen
Seidel, nicht um Seydel, handeln sollte, so kennt allein die »Allgemeine Deutsche Biographie« schon drei, die 1810 in Berlin lebten: neben dem Musikdi-
rektor Friedrich Ludwig S. (1765–1831) noch den Pädagogen Johann Friedrich S. (1749–1836) und den Schriftsteller Karl Ludwig S. (1788–1844).

7 In (oder: ad) usum Delphini: zum Gebrauch des Dauphins. Redewendung
nach der Aufschrift auf Ausgaben von antiken Klassikern, die auf Anweisung
Ludwigs XIV. von Bossuet und Huet in den Jahren 1674–1730 von moralisch
oder politisch anstößigen Stellen gereinigt wurden und zum Unterricht des
Dauphins, des französischen Thronerben, dienten. Es wird nicht bis ins letzte
deutlich, wie Kleist die Redewendung dort verstanden hat: ob er etwa meinte,
daß jener Seydel mit einer Art von jugendlicher Ahnungslosigkeit an diesem
Zeitungsexemplar hing, ohne um die wirkliche Brisanz des Textes zu wissen?
Oder ob er andeuten wollte, daß Seydel keine Streichungen in seinem Zeitungsexemplar sehen wollte; was dann für Helmut Sembdners Auslegung
sprechen würde: »Da es sich um ein geborgtes Exemplar handelt, in dem kaum
korrigiert werden durfte, besaß Kleist nicht die Möglichkeit zu größeren
Umarbeitungen« (»Kleine Beiträge zur Kleist-Forschung«, in: »Deutsche
Vierteljahrsschrift für Literaturwissenschaft und Geistesgeschichte« 27, 1953,
S. 610).

Noch im September 1810, zur Michaelismesse, erschien der Band »Erzählungen« in Reimers »Realschulbuchhandlung« (vgl. Abb. S. 90). Der Titel lautete nun doch nicht »Moralische Erzählungen«, sondern einfach »Erzählungen. Von Heinrich von Kleist«. Der letzten Erzählung, die 1807 zuerst als »Jeronimo und Josephe« erschienen war, hatte Kleist nun den Titel »Das Erdbeben in Chili« gegeben. Wegen der Begrenzung des Raumes auf 344 Druckseiten (21½ Bogen) wurde der Text in der Buchausgabe in nur drei Absätzen[8] dargeboten. Wenn die 31 Absätze des Erstdrucks im »Morgenblatt« übernommen worden wären, hätte Reimer für den Druck einen neuen Halbbogen anbrechen müssen. Helmut Sembdner hat deshalb in seiner Ausgabe, der auch der vorliegende Reclam-Text folgt, die 31 Absätze des Drucks von 1807 wieder eingefügt (sonst hält er sich aber an den Text von 1810 mit geringen Varianten gegenüber dem von 1807; vgl. Hinweise auf solche im Kap. I). Andere Ausgaben, etwa die von Erich Schmidt (Bd. 3) oder die des Aufbau-Verlages (hrsg. von Siegfried Streller, Bd. 3), halten sich demgegenüber an die Autorität der Buchausgabe von 1810 und drucken den Text in nur drei Absätzen ab. Für Sembdners Verfahren spricht, daß Kleist durch äußere Gründe, eben die Begrenzung der Bogenzahl, zur Beschränkung auf drei Absätze gezwungen war, andererseits hat er den Druck in dieser Form gebilligt, und dem Text durch die strenge Dreiteilung zugleich eine noch schärfere innere Dynamik verliehen.[9]

Aus Reimers Kontobuch geht hervor, daß Kleist das Honorar für den Band »Erzählungen« als Vorschuß am 30. April (30

---

8 Helmut Sembdner spricht in den Anmerkungen (SW II, 902) irrtümlich von 2 (statt 3) Absätzen der Buchausgabe und von 29 (statt 31) Absätzen des Erstdrucks. Seine Textausgabe ist jedoch de facto in 31 Absätze unterteilt; lediglich die ältere DTV-Ausgabe (Bd. 4) hat 30 Absätze (es fehlt der Absatz in 60,17); darauf bezieht sich womöglich der Hinweis in der Nachbemerkung zur »Textgestalt« (S. 70).

9 Neuerdings hat Stierle (in Wellbery) eine Gesamtinterpretation der Erzählung in der Dreiteilung des Textes der Buchausgabe fundiert und damit Sembdners Rückgriff auf die ›traditionelle‹ Absatzunterteilung des Erstdrucks als unbegründet zurückgewiesen.

Erzählungen.

Von

Heinrich von Kleist.

Michael Kohlhaas (aus einer alten Chronik).
Die Marquise von O...,
Das Erdbeben in Chili.

Berlin,
in der Realschulbuchhandlung,
1810.

Taler) und am 16. Juli 1810 (20 Taler) erhalten hat; am
23. September 1810 bekam er 5 Freiexemplare, und am
14. Januar 1811 kaufte er nochmals 2, zuletzt am 27. Juli 1811
ein Exemplar von Reimer (vgl. Lebensspuren, Nr. 367).
Nach Kleists Tod wandte sich Ludwig Tieck 1816 mit der
Bitte um nachgelassene Manuskripte auch an Reimer, wobei
er auf den nach dem Hörensagen schlechten Verkauf der
Erzählungen einging:

»Schon früher hört' ich, Sie hätten mit H. v. Kleists Novellen
kein Glück[10] gemacht; dieser edle und unglückliche Autor,
der nach meiner Überzeugung unter allen jungen Dichtern
bei weitem der vorzüglichste ist, ist in unserer Zeit nichts
weniger als erkannt, vielleicht ja wahrscheinlich geschieht es
noch.«

Zit. nach: Nachruhm. Nr. 129.

---

10 Man sieht, wie der zentrale Glücks-Begriff von Kleist auf Tieck abfärbt:
   Dem mangelnden Glück des Verlegers korrespondiert der »unglückliche
   Autor«.

IV. Dokumente zur Wirkungsgeschichte

1. Die Buchausgabe der »Erzählungen« 1810

Dokumente über die Wirkung des Erstdrucks vom »Erdbeben« im »Morgenblatt« 1807 sind nicht überliefert, erst zur Buchausgabe 1810 finden sich Ankündigungen, Besprechungen und briefliche Äußerungen. Insbesondere sind drei umfangreiche Rezensionen erhalten, deren Verfasserschaft umstritten ist. Sicher ist, daß Wilhelm Grimm (1786–1859), der jüngere der Brüder Grimm, im November 1811 eine Besprechung von Kleists Erzählungen (beider Teile) an die »Heidelbergischen Jahrbücher der Literatur« schickte, die dort nicht erschien. Wahrscheinlich wurde diese Rezension statt dessen am 28. September 1812 in der »Leipziger Literaturzeitung« veröffentlicht. Kurz danach erschien eine ähnliche Besprechung von Kleists Erzählungen (ebenso beider Teile) in der Halleschen »Allgemeinen Literaturzeitung« (14. Oktober 1812), die Helmut Sembdner ebenfalls Wilhelm Grimm zuspricht, was von Sibylle Obenaus in Zweifel gezogen wird.[1] Insbesondere ist zweifelhaft, ob Wilhelm Grimm auch der Verfasser zweier Besprechungen ist, die in der Leipziger »Zeitung für die elegante Welt« erschienen: am 24. November 1810 (vom ersten Teil der »Erzählungen«) und – dar-

---

1 Sibylle Obenaus, »Wilhelm Grimms Kleist-Rezension. Zum Methodenproblem der Verfasseridentifikation anonymer Rezensionen«, in: »Jahrbuch der deutschen Schillergesellschaft« 25 (1981) S. 77–96. Helmut Sembdners Replik (»Jahrbuch der deutschen Schillergesellschaft« 26, 1982), in der er sein Plädoyer für Grimm als Verfasser bekräftigt, ist nachgedruckt in H. Sembdner, »In Sachen Kleist«, 2., verm. Aufl., München 1984, S. 303 ff. Sembdners Auffassung wird bekräftigt von Ludwig Denecke, »Jacob und Wilhelm Grimm als Rezensenten«, in: »Sammeln und Sichten. Festschrift für Oskar Fambach«, hrsg. von Joachim Krause, Norbert Oellers und Karl Konrad Polheim, Bonn 1982, S. 294–323; hier S. 309 f. Denecke hält weiterhin die große Besprechung in der Halleschen »Allgemeinen Literaturzeitung« (14. 10. 1812) für diejenige, die Wilhelm Grimm an die Heidelberger Jahrbücher geschickt hatte, während Sembdner nunmehr die in der »Leipziger Literaturzeitung« (28. 9. 1812) erschienene darin vermutet.

auf Bezug nehmend – am 10. Oktober 1811 (vom 2. Teil).
Diese beiden Texte hatte Helmut Sembdner zunächst Friedrich de la Motte-Fouqué (1777–1843) zugesprochen, später
dann Wilhelm Grimm,[2] so daß Grimm nicht nur Zweifach-
sondern sogar Dreifachbesprechungen in verschiedenen Zei-
tungen veröffentlicht haben müßte. Neben den genannten ist
noch eine kurze Besprechung von FRIEDRICH WEISSER
(1761–1836) in Cottas »Morgenblatt« vom 28. Dezember
1810 überliefert:

»Rezensent freut sich, diesen Erzählungen des Hrn. v. *Kleist*
ein weit besseres Zeugnis sprechen zu können, als seinem
Kätchen von Heilbronn. [. . .] Die dritte [Erdbeben in Chili]
hat etwas Empörendes, und ist auch zu skizzenhaft behandelt.«

Zit. nach: Lebensspuren. Nr. 374.

Rezension des 1. Teils der »Erzählungen« (1810) in der »Zeitung für die elegante Welt« vom 24. November 1810:

»Es hat sich unter unsern gewöhnlichen Kritikern die Meinung festgesetzt, und einer sagt sie, wie es zu gehen pflegt,
getrost dem andern nach, im Fache der Erzählungen ständen
wir unsern westlichen Nachbaren noch gar sehr nach, und in
diesem Felde der schönen Literatur möchten wir wohl immer
hinter ihnen zurückbleiben, weil sie als eine ganz in der
Gesellschaft lebende und für sie gebildete, beständig konver-
sierende Nation, da gleichsam von Hause schon einheimisch
wären, wohin wir erst durch Kunst uns versetzen müßten. . . . Sind wir denn nicht berechtigt, auch hierin unsere
eigene Manier zu haben, die man uns doch in anderen Gattungen der redenden Künste nicht mehr abspricht, seitdem
uns Lessing und andere literarische Reformatoren von der
Sklaverei befreit haben, in welcher wir sonst unter französischen Kunstregeln uns gefangen sahen? Ist denn etwa die Art

2 Helmut Sembdner, »Fouqués unbekanntes Wirken für Heinrich von Kleist«
  (1958) und »Heinrich von Kleist im Urteil der Brüder Grimm« (1965), beides
  nachgedruckt in: H. S., »In Sachen Kleist«, S. 206–250.

und Weise, wie die Italiener und die Spanier erzählen,
schlechthin zu verwerfen, weil sie dem französischen Kanon
nicht gemäß sind? . . .

Die Erzählungen nun, welche Herr von Kleist dem Publikum
übergibt, sind keineswegs französischer, sondern durchaus
deutscher Art, und nur um so vortrefflicher. Sie verdienen
unstreitig den besten beigezählt zu werden, welche unsere
Literatur aufzuweisen hat, und sind besonders in Rücksicht
der Gründlichkeit, der Tiefe und des reinen Lebenssinnes,
sowie der kraftvollen, anschaulichen und tiefwirkenden Darstellung nicht genug zu rühmen. Für die Menge sind sie
freilich nicht geschrieben, die sich nichts lieber wünscht,
als empfindungsselige Liebesgeschichten oder triviale Szenen aus dem häuslichen Leben, mit breiten Reflexionen und
moralischen Nutzanwendungen ausstaffiert, oder tolle
Abenteuerlichkeiten, von einer fieberkranken Phantasie aus-
geboren. Hier ist alles außerordentlich, in Sinnes- und Hand-
lungsart wie in den Begebenheiten; aber diese Außerordent-
lichkeit ist immer natürlich, und sie ist nicht um ihrer selbst
willen da, um etwa schlechte Gemüter zu einiger Tätigkeit
und Teilnahme zu zwingen, und sie durch diese erzwungene
Teilnahme über ihre Kraftlosigkeit schmeichlerisch zu täu-
schen; sie ist im Gegenteil, wie es jederzeit sein soll, aus dem
Charakter der ungewöhnlichen Personen und aus solchen
Lagen der Welt, die das Ungewöhnliche mit sich führen, notwendig hervorgehend, und so ein schönes Mittel, Menschen-
natur und Welt in ihrer ursprünglichen Kraft und ihrem uner-
schöpflichen Reichtum heraufzufördern, daß jedes nicht
unkräftige Gemüt sich daran erlabe und stärke, und der durch
die einförmigen Gewöhnlichkeiten des Tages beschränkte
Blick sich höher hebe und erweitere. Die Darstellung spricht
stets durch sich selbst, klar und verständlich, und so bedarf
sie der kümmerlichen Aushülfe von Betrachtungen und Zu-
rechtweisungen nicht, womit die gemeinen Erzähler ihren
leblosen Produkten aufzuhelfen suchen. Auch geht die Darstellung auf sprechende Individualität, oft in die kleinsten
Details eindringend, ohne sich in diese zu verlieren; und dies

scheint uns ein Hauptverdienst zu sein, weil es ein eigentümlicher Vorzug der Erzählung ist, das Menschliche, in welcher Gestalt es auch erscheinen möge, von allen Seiten zu erfassen und mit Bestimmtheit vollständig darzulegen, da andere Gattungen der Poesie, wie z. B. das Drama, mehr andeuten als ausführen, oder wie das Lied nur eine Empfindung oder einen bestimmten Kreis von Empfindungen aussprechen – womit keineswegs gesagt sein soll, daß die Erzählung es vornehmlich mit psychologischen Entwickelungen der Charaktere zu tun habe; dadurch würde sie zur bloßen Naturbeschreibung herabsinken.

In Betreff des Stiles bemerken wir, daß der Verfasser zwar in seiner Darstellung auf Objektivität hinstrebt, und diese auch im ganzen sehr glücklich erreicht, daß jedoch dieses Hinstreben im einzelnen öfters noch zu sichtbar ist, als daß man nicht eine gewisse Künstlichkeit verspüren sollte. Es scheint seiner Schreibart noch etwas Hartes, Strenges, ja Nachdrückliches eigen zu sein, und ihr zum Teil jene Anmut abzugehen, die alle Kunst vergessen und einen ganz ungestörten, reinen Genuß erst möglich macht. Diese Strenge und etwas harte Nachdrücklichkeit des Stils ist jedoch nichts weniger als erkünstelt, sie geht vielmehr aus der Individualität des Erzählers unmittelbar hervor, und da sie ganz aus der Quelle fließt und vermöge ihrer Ursprünglichkeit einartig und mit sich selbst übereinstimmend ist, so ist sie, an sich betrachtet, durchaus tadellos; sie macht sich nur insofern auf eine nicht angenehme Weise bemerkbar, als sie, die doch immer etwas Einseitiges, Beschränktes mit sich führt, dieses Einseitige nicht genug zu mildern und völlig zu dem Grad von Anmutigkeit zu bilden weiß, dessen sie, um ganz zu gefallen, fähig scheint.

Drei Erzählungen machen den Inhalt des Buchs aus. [. . .] – Die letzte Erzählung: *Das Erdbeben in Chili*, ist ein kraftvolles Gemälde von den Wechseln des Glücks, in den erschütterndsten und rührendsten Situationen. –«

Zit. nach: Lebensspuren. Nr. 370.

Besprechung des 2. Teils der »Erzählungen« (1811) in der »Zeitung für die elegante Welt«, 10. Oktober 1811:

»Der ungemeine Beifall, welchen der erste Teil dieser Erzählungen gefunden, ist ein sehr erfreulicher Beweis von der Empfänglichkeit der Lesewelt für das Vortreffliche, und von ihrer Bildungsfähigkeit, an welche viele, weil sie nur auf das Schlechte und Mittelmäßige sehen, das in jeder Messe erscheint, keinen rechten Glauben haben. Es ist gewiß, daß dieses Schlechte und Alltägliche gleichfalls nicht wenig gelesen wird; man hält sich aber, weil das Bedürfnis des Lesens nun einmal, gleichsam als Ersatz für das minder reiche und selbständige Leben unserer Zeit, allgemein gefühlt wird, an solche wertlose Produkte bloß deshalb, weil man eben keine bessern hat; man nimmt mit ihnen vorlieb, wie man überhaupt mit nur zu vielem Gewöhnlichen im täglichen Laufe des Lebens vorlieb nehmen muß. Darum ist aber der Sinn für das Bessere und wahrhaft Schöne keineswegs erstorben, höchstens wird er nur mehr oder weniger durch den notgedrungenen Genuß des Kraft- und Leblosen abgestumpft. Würde nur viel Gutes und Treffliches dargeboten, die allerwenigsten möchten dann nach dem Verwerflichen und Gemeinen noch greifen, von dem sie eben nichts zu sagen wissen, als daß es doch immer besser wie gar nichts sei, dahingegen das Vorzügliche all ihre Lebenskraft aufregt und in Schwung setzt, daß sie gleichsam staunen über das dunkele Gefühl, welch eine Fülle von Kräften, guten und bösen, in der Brust der Menschen wohnt.
Dieser zweite Teil darf sich fast gleichen Beifall versprechen, und wir können auch an ihm im ganzen alles das Gute rühmen, was wir im vorigen Jahrgange von dem ersten gesagt haben.«

Zit. nach: Lebensspuren. Nr. 502.

WILHELM GRIMM an Achim von Arnim, Kassel, 10. Dezember 1811:

»[. . .] ich hatte etwa vierzehn Tage vorher [etwa 12. November] eine Anzeige von seinen Erzählungen nach Heidelberg [für die Heidelberger Jahrbücher] geschickt, weil ich sie sehr schätzte und weil ich dachte, meine Anerkennung sei doch besser als gar keine, da sie wahrscheinlich von der Redaktion übersehen würden. Ich hatte sie darin gelobt, so gut ich konnte, und meine Meinung darüber gesagt; weil mir eben die vielen niederträchtigen Urteile über seine Dichtungen einfielen, sind auch ein paar Sätze gegen diese darin, so ist die Rezension ziemlich ausführlich geworden.«

Zit. nach: Nachruhm. Nr. 72b.

Leipziger Literaturzeitung, 28. September 1812:

»Von diesen Erzählungen gehören die besten unstreitig zu den vollendetsten Hervorbringungen dieses Dichters, und zu dem Trefflichsten, was unsere Literatur in diesem Fache aufzuweisen hat. Ihren hohen Werth haben selbst diejenigen zugestehen müssen, welche, aus Vorurtheil gegen alle neuern poetischen Bestrebungen, nur die Verirrungen desselben als so viele Bestätigungen ihrer vorgefassten Meinung ins Auge fassend, seine Genialität auf das Ungerechteste verkannten, und in ihm nichts als einen schwindelnden, unheilbaren Phantasten sahen, den man durch Spott und Hohn züchtigen müsse.

Es verdienen diese Dichtungen vorzugsweise *Novellen* genannt zu werden, im eigentlichsten Sinne dieses Wortes; denn das wahrhaft *Neue*, das Seltne und Ausserordentliche in Charakteren, Begebenheiten, Lagen und Verhältnissen wird in ihnen dargestellt, mit einer solchen Kraft, mit einer so tiefen Gründlichkeit und anschaulichen, individuellen Leben, daß das Ausserordentliche als so unbezweifelbar gewiss und so klar einleuchtend erscheint wie die gewöhnlichste Erfahrung. Und dabey fühlen wir uns allseitig angeregt, wir werden uns unserer Natur nach ihrem ganzen Umfange inne, und insbesondere der wunderbaren, in unserm Innern schlummernden Mächte, die oft plötzlich erwachend uns bald über uns selbst erheben, bald unter uns selbst erniedrigen. Dieses furchtbare Geheimnisvolle, das in jeder menschlichen Brust verborgen liegt, ist es vornehmlich, was dieser tiefsinnige Dichter in seinen Schöpfungen mit der erschütterndsten Wahrheit ausspricht; bis in die geheimsten Tiefen des Gemüths dringt er ein, und das Leben aus dem innersten Grund hervorhebend, lässt er uns in seine verborgensten Geheimnisse schaudernd hineinschauen. Aber indem wir schaudern, fühlen wir uns zugleich erhoben und gekräftigt: nur der Kraftlose wagt keinen Blick in den unermesslichen Abgrund. Doch ist nicht zu leugnen, daß dieser Hang zum Furchtbaren unsern Dichter zuweilen beherrscht, und ihn verleitet, ins Grässliche und Empörende auszuschweifen. Diess ist besonders in den Erzählungen des zweyten Theils der Fall; gleichwohl muss man auch in diesen die ungemeine Kraft der Darstellung und den nie ermattenden, sich immer gleich bleibenden Flug der Phantasie bewundern. [. . .] *Das Erdbeben in Chili* ist ein schaudervolles Gemälde vom dem Wechsel des menschlichen Schicksals – die Contraste des Glücks und Unglücks in den höchsten Graden sind so ungeheuer, wie ihre Veranlassung die entsetzlichste aller Naturbegebenheiten.«

Zit. nach: Sibylle Obenaus: Wilhelm Grimms
Kleist-Rezensionen. Zum Methodenproblem der
Verfasseridentifikation anonymer Rezensionen. In:
Jahrbuch der Deutschen Schillergesellschaft 25
(1981) S. 93–95.

Allgemeine Literatur-Zeitung, 14. Oktober 1812:

»Als eine ausgezeichnete Erscheinung ihres Faches führen wir diese Erzählungen Lesern von nicht beschränkter Bildung vor. Sie treffen hier, was sie bey so vielen Erzählern vermißt haben werden, einen reichen, tiefen und selbstständigen Geist, einen einfachen, freyen und deutschen Sinn. Die Art, wie der Vf. auftritt, läßt sich mit der eines Mannes von entschiedenem Verdienst vergleichen, der im Bewußtseyn seines Werths, weniger aus Stolz, als weil es ihm gerade so gefällt, in einfacher und halb nachlässiger Kleidung erscheint. Unter allen Erzählern von Ruf nähert er sich dem Boccaccio am meisten, und mehr als einmal brachte der künstlich ver-

schlungene, und doch nachlässig sich gebende Periodenbau
Rec. zu den Glauben, es sey hier auf Nachahmung des trefflichen Italieners abgesehn; doch konnte er nicht zu sicherer
Ueberzeugung darüber gelangen, um so weniger, da sich der
in diesen Erzählungen sprechende Geist von so vielen andern
Seiten als selbstständig und eigenthümlich zeigt. Am wenigsten darf man bey jener Vergleichung an die üppige Sinnlichkeit des Boccaccio denken, wovon hier durchaus das Gegentheil, deutscher Ernst und Züchtigkeit sichtbar ist. Es läßt
sich daher eben so gut glauben, daß der Vf. seinen Stil frey im
Geist der ältern deutschen Erzählung habe bilden wollen.
Man darf seine Erzeungisse zwar überhaupt nicht streng nach
den Regeln der Kunst beurtheilen, am allerwenigsten aber sie
an das Muster des nach der feinen Umgangssprache geglätteten Erzählungstones halten. Wollte man dieses thun, uneingedenk, daß ein eigenthümlicher Geist seine eigenthümliche
Bahn bricht, so könnte man aus ihnen Stoff zu mannichfachem Tadel hernehmen. Gegenstände ohne Reiz, zum Theil
von widriger und abschreckender Art; kein merkliches Streben nach Abwechslung; in der Anlage die größte Willkür,
anscheinend unbedeutende, oft häßliche Scenen sehr genau
und wie mit Vorliebe ausgeführt (man vergl. Th. I. S. 113
u. f.). Nebendinge mit Sorgfalt behandelt, während die
Hauptsache vorsätzlich aus den Augen gerückt zu werden
scheint; der Periodenbau mühsam, und durch die vielen in
einander geschobenen Sätze verdunkelt; der Ausdruck die
Sprache des gemeinen Lebens wiedergebend, derb, streng,
oft einförmig und voll scheinbarer Unbeholfenheit. Doch
durch dieses alles blickt ein Geist, der tief in die Verhältnisse
des Lebens und das Innerste der Menschenbrust geschaut, der
das, was er so nachlässig darzulegen scheint, mit bewunderungswürdiger Klarheit und Sicherheit aufgefaßt hat, und
des, dem Ansehn nach, ihm widerstrebenden Stoffes, in
einem hohen Grade Meister ist. Ein Geist, der so bestimmt
wußte, welche Zwecke und wie er sie erreichen wollte, daß
sich schwerlich zweifeln läßt, er habe auch eine andere Darstellungsart mit Erfolg wählen können, wenn es ihm gefallen

hätte. Wären ihm aber auch durch einen leichtern und glättern Erzählungston einige Leser mehr gewonnen, seine Eigenthümlichkeit würde dabey minder hervorgetreten seyn, und so wäre vielleicht der Verlust auf der einen Seite größer, als der Gewinn auf der andern gewesen. So wie es ihm gefallen hat, diese Erzählungen zu geben, den Kern durchaus gut und gediegen, die Schale ziemlich rauh und unscheinbar, können sie als treffliches Gegenmittel wider Verzärtelung des Geschmacks dienen: denn von allen den verschiedenen Behandlungsarten, womit sich der neuere Erzählungsgeschmack dem Gaumen der Leser wohlgefällig zu machen gesucht hat (man hat sie wohl ästhetischen [!] Brühen genannt), als da sind: die empfindelnde Schwärmerey, die triviale Häuslichkeit, der moralisirende oder philosophirende Ton u. s. f., ist hier auch nicht die entfernteste Spur zu erkennen; es herrscht durchaus eine männliche und feste Lebensansicht, die sich aber durch Kraft und Tiefe wiederum sehr von gemeiner, bürgerlich prosaischer Beschränktheit unterscheidet. So wie der Vf. nirgends moralisirt, so ist er auch von der zurechtweisenden, die Person oder gar die Subjectivität des Dichters einmischenden Manier durchaus frey; er tritt nirgends vor, macht dem Leser nirgends mit seiner Person zu schaffen (außer in einigen Uebergängen, die aber nichts, als dem alten Chronikenstil nachgeahmte Redensarten ohne alle weitere Bedeutung sind); überall läßt er seine gediegene ansprechende Darstellung selbst reden. Leser, die in den leichtern Erzählungston der meisten neuern Romane, besonders vor dem letzten Decennio eingeübt sind, werden vor der harten und strengen Manier des Vfs. vielleicht zurückgeschreckt werden, aber der Mann von freyem Geist wird wenig und zuletzt keinen Anstoß daran nehmen, da diese Manier so durchaus gleichartig und mit sich selbst übereinstimmend ist, daß man fühlt, sie gehöre der Individualität des Dichters an. In ihr liegt auch der überwiegende Hang zu dem Düstern und Schauderhaften, der fast in keiner Erzählung zu verkennen ist. Dagegen müssen wir besonders rühmlich der äußerst genauen und sprechenden Individualisirung der Personen und Charaktere, der bis in das kleinste Detail eindringenden nachahmenden Darstellung erwähnen, die zu den vorzüglichsten und glänzendsten Eigenthümlichkeiten dieses Schriftstellers gehört. Diese genaue und sprechende Zeichnung, so wie die Manier, oft bey Nebenzügen am mehrsten zu verweilen, geben seinen Erzählungen einen so täuschenden Schein wahrer Geschichte, daß Rec. selbst ungewiß über den Antheil, welchen die Wirklichkeit an der einen oder andern dieser Dichtungen haben könnte, hierüber Aufklärung von denen wünscht, gegen welche sich der Vf. vielleicht mündlich geäußert hat: denn sein Buch ist ohne Vorrede und alle sonstigen Andeutungen. Uebrigens ist unter den acht Erzählungen beider Bände (die der Vf. selbst auf dem Titelblatt namentlich angegeben hat) fast jede nach Ton und Inhalt anders nüancirt, so wenig auch eine den allen gemeinschaftlichen Geist verläugnet. [. . .] *Das Erdbeben in Chili*, welches den ersten Band beschließt, ist von den vorigen wiederum merklich verschieden, rascher fortschreitend, abwechselnder und mehr auf glänzenden Effect berechnet; auch thut diese Erzählung in der That eine erschütternde Wirkung.«

Zit. nach: Helmut Sembdner: In Sachen Kleist. 2.,
verm. Aufl. München: Hanser, 1984. S. 233–235.

Über Goethes eher grundsätzliche Beurteilung Kleists berichtet Johannes Falk in seinen Erinnerungen »Goethe aus persönlichem Umgange dargestellt« (1832):

»Einst [Ende 1810] kam das Gespräch auf *Kleist* [. . .]. Es gebe ein Unschönes in der Natur, ein Beängstigendes, mit dem sich die Dichtkunst bei noch so kunstreicher Behandlung weder befassen, noch aussöhnen könne. Und wieder kam er zurück auf die Heiterkeit, auf die Anmut, auf die fröhlich bedeutsame Lebensbetrachtung italienischer Novellen, mit denen er sich damals, je trüber die Zeit um ihn aussah, desto angelegentlicher beschäftigte.

Dabei brachte er in Erinnerung, daß die heitersten jener Erzählungen ebenfalls einem trüben Zeitraume, wo die Pest regierte, ihr Dasein verdankten. ›Ich habe ein Recht,‹ fuhr er

nach einer Pause fort, ›Kleist zu tadeln, weil ich ihn geliebt
und gehoben habe; aber sei es nun, daß seine Ausbildung, wie
es jetzt bei vielen der Fall ist, durch die Zeit gestört wurde,
oder was sonst für eine Ursache zum Grunde liegt; genug er
hält nicht, was er zugesagt. Sein Hypochonder ist gar zu arg;
er richtet ihn als Menschen und Dichter zugrunde.‹«

Zit. nach: Lebensspuren. Nr. 384.

KARL AUGUST VARNHAGEN VON ENSE, »Zur Geschichts-
schreibung und Literatur«, Hamburg 1833 (S. 533):

»Erst in neuerer Zeit haben wir Novellen erhalten, welche
sich den erwähnten [italienischen und spanischen] Vorbildern
annähern, jedoch nur annähern, indem sie von den deutschen
Eigenheiten mehr oder minder in die gewählte Form hinüber-
tragen und diese dadurch verändern. [. . .] Die Erzählungen
von Heinrich von Kleist, die vor zwei Jahren erschienen sind,
geben ein neues Beispiel, würdig des ausgezeichneten Geistes, in welchem unsrer Literatur eine neue Zierde zu-
wächst.«

Zit. nach: Nachruhm. Nr. 650.

In Wien wurden Kleists »Erzählungen« 1810 von der Zensur
verboten – besonders wegen des Ausgangs vom »Erdbeben«:

»Als der Wiener Zensur 1810 der erste Teil der Erzählungen
(›Michael Kohlhaas‹, ›Die Marquise O.‹ und das ›Erdbeben in
Chili‹) vorlag, beantragte der Zensor Retzer ein unbedingtes
Verbot, das von der Zensurhofstelle mit dem Bemerken
genehmigt wurde, daß deren Gehalt, wenn auch nicht ohne
Wert, doch die unmoralischen Stellen nicht vergessen machen
könne, welche besonders in der Erzählung ›Das Erdbeben
von Chili‹ vorkommen, deren Ausgang im höchsten Grade
gefährlich sei. Ebenso wurde 1812 der zweite Teil der Erzählungen verboten, wegen der wiederholt vorkommenden Stellen, die sehr auffallend seien und alles Zartgefühl beleidigen.«

Karl Glossy. In: Jahrbuch der Grillparzer-Gesell-
schaft 33 (1935) S. 151 f.

2. Nachdichtungen und Verfälschungen im frühen 19. Jahrhundert

Vom »Erdbeben« sind im frühen 19. Jahrhundert mehrfach stark verändernde und eingreifende Nacherzählungen erschienen, die Aufschluß darüber geben können, wie provokativ Kleists Original gewirkt haben muß. Von der folgenden Nacherzählung, die 1837 in den »Wöchentlichen Mittheilungen aus den interessantesten Erscheinungen der Literatur zur Belehrung und Unterhaltung aller Stände« veröffentlicht wurde, hat Alfred Estermann fünf Nachdrucke in Zeitschriften zwischen 1837 und 1843 finden können, die sich nach seinen Angaben voneinander nur durch geringfügige, auf die jeweils nachdruckende Redaktion zurückgehende Textvarianten unterscheiden (vgl. Estermann, S. 73).

Das Erdbeben von Chili.

Zur Zeit des großen Erdbebens, das 1677 in San Jago, der damaligen Hauptstadt von Chili, stattfand, und bei dem so viele Personen ihr Leben einbüßten, lebte in einem Kerker ein edler Spanier, Don Jeronimo Ruguera, weil er angeklagt war, eine Nonne aus einem Kloster entführt und sich gegen die Bestimmungen der Kirche mit derselben verheirathet zu haben. Die Härte und lange Dauer der Gefangenschaft hatten ihn lebensüberdrüssig gemacht und er wollte sich selbst den Tod dadurch geben, daß er sich an einer Säule aufhenkte, welche die Decke seines Kerkers trug, als der erste Stoß des Erdbebens sein Gefängniß in den Grundfesten erschütterte.

Don Henrico Asterro, einer der wichtigsten Granden der Stadt, hatte vor etwa einem Jahre ihn als Lehrer aus seiner Familie entlassen, weil er bemerkt, daß er ein Liebesverhältniß mit seiner Tochter, Donna Josephine, unterhalte. Das Geheimniß war durch die eifersüchtige Wachsamkeit seines Sohnes entdeckt worden, der den alten Vater gegen seine Schwester noch mehr aufreizte und ihm, in der Absicht, das ganze Vermögen allein zu erben, den Plan eingab, sie in das Kloster zu bringen, um den guten Ruf der Familie zu retten. Nachdem Josephine einige Monate die grausame und tyrannische Behandlung ihres Bruders und Vaters geduldet hatte, gab sie widerstrebend ihre Einwilligung, in den Orden der Carmeliterinnen zu treten.

Jeronimo war unbesonnen genug, sein Verhältniß zu ihr fortzusetzen und deßhalb die Mauern des Klosters zu erklettern. Endlich wurden sie im Gespräche mit einander im Garten entdeckt und Josephine war den nächsten Tag kaum aufgestanden, als man sie aufforderte, vor einem geistlichen Gerichte zu erscheinen. Die Bewohner von San Jago zeigten bei dieser Gelegenheit eine solche Aufregung wegen des Aergernisses, das die Liebenden gegeben haben sollen, daß weder die Bitten der Familie Asterro, noch das Gesuch der Aebtissin, die lebhaften Antheil an dem jungen Mädchen nahm, das traurige Schicksal von den Unglücklichen abzuwenden vermochten. Sie erlangten weiter nicht, als daß das Urtheil des Pfählens, das man ausgesprochen hatte, durch den Vicekönig in Enthauptung umgewandelt wurde.

Als der Tag der Hinrichtung festgesetzt war, vermiethete man die Fenster in den Straßen, durch welche des Zug kommen mußte. Ueber die Terrassen der Häuser waren Zelte gespannt, um die Zuschauer vor den glühenden Strahlen der Sonne zu schirmen.

Eingemauert in einem Kerker konnte Don Jeronimo über das schreckliche Schicksal seiner Geliebten nicht nachdenken, ohne der Verzweiflung sich ganz zu überlassen. Jede Hoffnung auf ein Entkommen war vergebens. Alle seine Plane und Versuche gegen die Wände und Stangen hatten zu keinem Resultate geführt und ein Versuch, das eiserne Gitter seines Fensters durchzufeilen, verdoppelte nur die Wachsamkeit seiner Hüter. Vergebens warf er sich vor dem Bilde der heiligen Jungfrau nieder und flehete sie an um Beistand und Erlösung; der langgefürchtete Tag kam endlich und mit ihm das Bewußtsein seiner schrecklichen Lage. Bereits schlug die Glocke die Stunde, in welcher Josephine sich vorbereiten sollte, das Blutgerüste zu besteigen. Verzweiflung bemächtigte sich seiner Seele und er nahm sich vor, das ihm so verhaßt gewordene Leben durch den Strick zu endigen, den ihm ein Zufall in die Hand gegeben hatte. Er stand bereits, wie wir erwähnt haben, am Fuße der Säule und befestige die Schlinge an eine Verzierung des Capitals, als die Stadt, die er durch seine Fenstergitter sehen konnte, hin und her zu wanken schien wie ein vom Sturme herumgeworfenes Schiff, und sein Ohr ein Krachen vernahm, als wenn der Himmel heruntergestürzt wäre und die Stadt mit seinen Trümmern überschüttet hätte. Jeronimo, dem der Schreck jede Bewegung unmöglich machte und der durch das einstürzende Gebäude erschlagen zu werden fürchtete, klammerte sich nun um seiner Rettung willen an dieselbe Säule, die ihm einige Augenblicke vorher den Tod geben sollte; der Boden wankte unter seinen Füßen, die Mauern des Gefängnisses wichen aus einander und das ganze Gebäude lehnte sich so sehr nach der Straße, daß es, wenn das gegen-

überstehende Haus nicht in der entgegengesetzten Richtung gefallen
wäre, nothwendig völlig hätte einstürzen müssen.

Zitternd, mit gesträubtem Haar kroch Jeronimo auf dem Boden hin
und entschlüpfte durch eine der in seinen Kerkermauern entstande-
nen Oeffnungen. Kaum sah er sich in Freiheit, als eine zweite
Erschütterung das Gefängniß vollends zusammenbrach. Im Entsetzen ging der Befreite zuerst nach dem Stadtthore zu über die Trümmer hinweg. Ein Haus, von dem fortwährend große Steine herabfie-
len, nöthigte ihn, sich nach einer andern Straße hinzuwenden.

An dieser Seite strömte der Mepocho über seine Ufer, rauschte mit
lautem Getöse und alles mit sich fortreißend heran und zwang den
Flüchtigen, einen sichern Ort zu suchen. Auf der andern Seite lag ein
Haufen Leichen, unter welchem hervor bisweilen das Aechzen irgend
eines Unglücklichen sich hören ließ, der von den Leichen derer
gedrückt wurde, die im Leben vielleicht seine besten Freunde waren.
Der Fluß, dessen Fluten näher herandrangen, hob bisweilen die tod-
ten Glieder empor, so daß man sie für lebende halten konnte. Auf den
brennenden Dächern riefen viele vergebens um Hilfe und manche
stürzten sich im Wahnsinn der Verzweiflung hinunter auf das Pfla-
ster.

Im Stadtthore überwältigte die Müdigkeit Jeronimo, daß er unter dem
Bogen niedersank. Er lag vielleicht eine Stunde lang in tiefer Ohnmacht da. Ein sanfter Wind aus Westen brachte allmählig seine Besinnung zurück und seine Augen, die nach allen Seiten herumblickten,
erkannten mit Freuden die grüne Ebene von St. Jago.

Der Anblick der Leichen, die um ihn her lagen, minderte die Freude,
die er über seine eigne Rettung fühlte. Er konnte anfangs nicht begreifen, wie er daher gekommen, und erst als er hinter sich blickte und
statt der Stadt einsame Trümmermasse sah, erinnerte er sich
der schrecklichen Katastrophe. Er sank auf seine Knie, beugte sich
zur Erde nieder und dankte dem Himmel für seine wunderbare Erhaltung. Dann mischte er sich unter die Menge, die emsig aus dem
allgemeinen Schiffbruche wenigstens etwas zu retten suchte,
und fragte schüchtern, ob die Hinrichtung der Tochter Asterros bereits stattgefunden habe; aber Niemand konnte ihm Antwort geben.
Endlich sagte ihm eine Frau, die schwer mit Wirthschaftsgeräthen be-
laden war, sie habe mit eigenen Augen die Nonne enthaupten
sehen.

Wenn er die Zeit der ersten Erschütterung mit der zur Hinrichtung
bestimmten Stunde verglich, konnte er kaum zweifeln, daß das Urtheil vollzogen sei. Er sprang auf, eilte in das nahe Wäldchen und
überließ sich ganz der Verzweiflung. Er wünschte, alle Mächte der

Natur möchten wieder gegen ihn losgelassen werden. Er bedauerte, daß der Tod nicht auch ihn betroffen, aber nachdem Thränen sein schweres Herz erleichtert hatten, zog die Hoffnung wieder bei ihm ein. Er durchwanderte die Gegend nach allen Richtungen hin, besah alle Leichen, die auf seinem Wege lagen und entfernte den Schutt, unter welchem er weibliche Kleidung bemerkte. Mit zitternden Schritten ging er über die Trümmer des Nonnenklosters; aber nirgends fand er eine Spur von Donna Josephine.

Gegen Sonnenuntergang stieg Ruguera, der alle Hoffnung aufgegeben hatte, seine Geliebte wiederzufinden, auf einen Felsen, der ein enges Thal überschaute. Am Fuße desselben erblickte er ein junges Weib, das ein Kind in einem Bache badete. Jeronimo trat näher und rief dann aus: »Heilige Mutter Gottes!« Es war Josephine.

Die Phantasie vermag nur ein schwaches Bild von dem Entzücken der Liebenden bei diesem Zusammentreffen zu gewähren. Als die begeisterte Freude sich allmählich etwas gemäßiget hatte, erzählte Josephine, was ihr in den letzten vierundzwanzig Stunden begegnet sei. Sie war auf dem Wege nach dem Schaffotte, als die Einstürzen der Häuser die versammelte Zuschauermenge zerstreute und mit ihr die Nachrichter, wie die andern Diener der Justiz, entflohen. Sobald sie sich von der Betäubung erholen konnte, in welche sie durch den Anblick ihres nahen Endes versetzt worden war, floh sie nach den Thoren zu, kehrte aber schnell nach dem Kloster zurück, in welchem sie ihr Kind hatte zurücklassen müssen. Sie fand das Kloster in Flammen und die Aebtissin, welche der Unglücklichen versprochen hatte, für das Kind zu sorgen, rief wehklagend aus dem brennenden Hause nach Hilfe. Josephine stürzte durch den Rauch hindurch über die Gänge hin, welche von allen Seiten zusammenbrachen, und kam, als wenn die Engel des Himmels sie behütet hätten, unverletzt wieder unter das Portal, die Aebtissin führend und ihr Kind auf dem Arme tragend.

Kaum hatte sie das Portal erreicht, als das Dach des Gebäudes zusammen brach und die meisten Nonnen unter seinen Trümmer begrub. Sie setzte nun ihre Flucht fort und fand bald das verstümmelte Pferd des Erzbischofs. Der Palast des Vicekönigs lag in Trümmern; der Gerichtshof, wo das Todesurtheil gegen sie gesprochen wurde, stand in Flammen und wo das Haus ihres Vaters gestanden, war ein See erschienen, aus dem ein röthlicher Dampf aufstieg. Josephine nahm ihre ganze Kraft zusammen, um sich bei diesem Anblicke aufrecht zu erhalten. Sie ging muthig weiter. Da gelangte sie an die Trümmer des Gefängnisses ihres Geliebten und dachte über dessen wahrscheinliches Schicksal nach. Sie konnte bei diesem Anblicke ihr Kind kaum halten, so zitterte sie, bis das fortwährende Einstürzen der Häuser sie aufschreckte, daß sie ihre Kraft nochmals zusammen raffte, ihr Kind an ihren Busen drückte und weiter schritt.

Von Mattigkeit erschöpft, ruhete sie eine Zeit lang aus und hoffte immer, den, welcher ihr vor allen theuer war, kommen zu sehen. Als indeß die Menge immer mehr anwuchs, ging sie weiter und gelangte endlich in ein kleines Lindenthal, wo sie, entfernt von allen Sterblichen, für die Ruhe der Seele ihres geliebten Jeronimo betete.

Nachdem sie ihm alles dies erzählt hatte, reichte sie ihm das Kind. Es war eine jener lieblichen Nächte, welche die Dichter so gern schildern. Die beiden unglücklichen Geretteten mit ihrem Kinde blieben in dem vom Mondlichte beleuchteten Thale und sammelten emsig Moos und dürre Blätter, um sich davon ein Ruhebett zu bereiten. Auf allen Seiten hörten sie das Wehklagen des armen Volkes; einem war das Haus eingestürzt; ein anderer hatte Weib und Kind und ein dritter sein ganzes Vermögen verloren. Nach einem innigen Dankgebete überließen sich Jeronimo und Josephine dem Schlummer.

Als sie erwachten, stand die Sonne hoch am Himmel und sie erblickten nicht weit entfernt einige Familien, die an einem Feuer ein leichtes Mahl bereiteten. Jeronimo dachte eben darüber nach, wie er einige Erfrischungen für sich, die Geliebte und sein Kind erhalte, als ein gut gekleideter junger Mann, der ein Kind in seinen Armen hielt, zu Josephinen kam und dieselbe bescheiden bat, für das kleine unglückliche Geschöpf mit zu sorgen, dessen schwer verwundete Mutter in geringer Entfernung unter einem Baume ruhe.

Josephine wurde etwas ängstlich, als sie diesen Herrn erkannte, der ihre Verlegenheit falsch auslegte und bemerkte: »Donna Josephine, ich bitte nur für einige Minuten um Ihre Pflege; das Kind hat keine Nahrung erhalten seit der Stunde, die unser aller Unglück war.« Josephine nahm das Kind und gab ihr eigenes Jeronimo.

Don Fernando, so hieß der Fremde, drückte seinen Dank durch das Anerbieten aus, sie zu dem Feuer zu führen, um welches seine Familie versammelt sei. Donna Elvira, die Gattin Fernandos, welche am Fuße verletzt war, hieß Josephinen neben sich setzen und behandelte sie sehr freundlich, und Jeronimo, wie Josephine konnten kaum glauben, daß das Schicksal, dem sie entgangen, Kerker und Blutgerüst, mehr als ein Traum gewesen.

Nur Donna Elisabeth, die Schwägerin Fernandos, welche von einer Freundin eingeladen worden war, der Hinrichtung der Nonne von ihrem Hause aus beizuwohnen, sah Josephinen kalt und mißtrauisch, fast mit Abscheu an, aber die letztere war mit ihren eigenen Gedanken zu sehr beschäftigt, als daß sie dies bemerkt hätte. Donna Elvira dagegen sprach mit ihr und hörte theilnehmend die Erzählung ihres Schicksals an. Josephine gestand aufrichtig alles.

Da der Tag bereits weit vorgerückt war und die Erschütterung der Erde völlig aufgehört hatte, so fing man an, wieder Muth zu fassen. Von den Vorübergehenden hörten sie, daß in der Kathedrale der Dominikaner, der einzigen noch stehenden Kirche, eine feierliche Messe gelesen werden sollte, um den Gott der Barmherzigkeit zu bitten, weiteres Unglück von der Stadt abzuwenden. Don Fernando schlug vor, der Prozession sich anzuschließen. Josephine, auf die sich aller Augen richteten, stimmte bei, denn sie erkannte wohl, daß sie in keinem Augenblicke mehr Ursache gehabt habe, dankbar gegen den Allmächtigen zu sein, der sie aus so naher und so schrecklicher Gefahr befreiete. Elvira versprach ebenfalls zu folgen; Donna Elisabeth dagegen wollte bei ihrem kranken Vater bleiben und zugleich das Kind behalten, das Josephine noch auf ihren Armen hatte; der kleine Juan aber mochte seine neue Pflegerin nicht verlassen und so entschloß man sich, auch dieses Kind mitzunehmen.

Als sie in die Kathedrale traten, wo der Gottesdienst bereits begonnen hatte, war die große versammelte Menge in stillem Gebete versunken. Nach der Messe hielt der älteste Geistliche eine Predigt, die sich für die traurige Gelegenheit, eignete, und die von der Macht Gottes und der Sündhaftigkeit der Menschen handelte.

Als der Geistliche beispielsweise von dem Frevel sprach, der vor kurzem in dem Garten der Carmeliterinnen geschehen sei, stürzte Josephine mit einem Schrei des Schmerzes zu Boden und unmittelbar darauf rief eine Stimme: »Leute von St. Jago, beide Verbrecher befinden sich unter uns!«

– »Wo?« rief ein anderer.

»Hier!« antwortete der erste, ein Elender, der durch den Fanatismus fast wahnsinnig geworden war, Josephinen bei den Haaren ergriff und sie auf dem Steinboden zerschmettert haben würde zugleich mit Fernandos Kinde, wenn der Letztere sie nicht in seinen Armen aufgefangen hätte.

»Ich bin Fernando Ormez, der Sohn des Commandanten der Stadt!« sprach dieser.

»Wo ist der Vater dieses Kindes?«

Josephine antwortete in Verzweiflung: »Dies Kind ist nicht mein« und das erschreckte Kind streckte wirklich seine Arme nach seinem Vater, Don Fernando, aus.

»Das ist der Vater, der ist Jeronimo!« rief die Menge und drängte heran.

– »Halt!« unterbrach sie Jeronimo, indem er festen Schrittes vortrat;
»wenn ihr Jeronimo Ruguera sucht, ich bin es.«
Unterdessen gab er Fernando auch sein Kind und bat ihn, sich zu
entfernen, was er that. Da mehrere diesen erkannten, ließ ihn die
Menge gehen. In der Kirche aber hörte er den wüthenden Volkshau-
fen gegen Jeronimo toben. Ein Alter, der sich den Vater Jeronimos
nannte, erklärte, denselben wohl zu kennen, schlug den Unglückli-
chen mit einem schweren Stabe nieder und wiederholte die Schläge,
bis Don Jeronimo aufgehört hatte zu Leben. Don Fernando zog sein
Schwerdt und bahnte sich damit einen Weg. »Rettet Euch und die
Kinder!« rief ihm Josephine zu. Don Fernando lehnte sich an einen
Pfeiler und kämpfte muthig; endlich aber erfaßte einer der Fanatiker
den kleinen Juan an den Füßen und zerschmetterte das Kind vor den
Augen des Vaters an dem Pfeiler.
Auch Josephine unterlag den Streichen der Wüthenden und Don
Fernando fand man den andern Tag leblos, während das Kind Jose-
phinens wunderbar gerettet wurde.
Der Vater Jeronimos übergab dasselbe den Dominicanern, um es
für die Kirche zu erziehen.

Zit. nach: Alfred Estermann: Nacherzählungen
Kleistscher Prosa. Texte aus literarischen Zeitschriften des Vormärz. In: Text und Kontext. Quellen und Aufsätze zur Rezeptionsgeschichte der
Werke Heinrich von Kleists. Hrsg. von Klaus Kanzog. Berlin: Erich Schmidt, 1979. S. 75–81.

Einen anderen Typus von Umdichtung hat Helmut Sembdner ausfindig machen können.[3] Dabei wurde der Text des
»Erdbebens« bis zum Beginn der Predigt in der Dominikanerkirche (64,21) wortgetreu (nach dem Abdruck in der
Buchausgabe)[4] nachgedruckt, der Schluß aber völlig verändert:

»Niemals schlug aus einem christlichen Dom eine solche
Flamme der Inbrunst gen Himmel, wie heute aus dem Domi-

---

3 Einen Auszug hat Helmut Sembdner zuerst in seiner Ausstellung zum
200. Geburtstag von Kleist vorgestellt (H. S., »Heinrich von Kleist zum
200. Geburtstag. Eine Privatsammlung«, in: »Marbacher Magazin« 7, 1977,
S. 11).
4 Alfred Estermann hat einen Nachdruck vom Erstdruck des »Erdbebens« im
»Morgenblatt«, wieder unter dem Titel »Jeronimo und Josephe«, nachgewiesen in »Der Phönix«, Jg. 1825, Nr. 153–157 (vgl. Estermann, S. 73).

nikanerdom zu St. Jago; und keine menschliche Brust gab
wärmere Glut dazu her als Jeronimo und Josephe.

Nach dem Gottesdienste kehrte unsere Gesellschaft unter
vertraulichen Gesprächen wieder zu den Ihrigen zurück. Am
folgenden Tage eröffneten Jeronimo und Josephe der Gesellschaft den Entschluß ihrer Abreise nach La Conception, um
von da aus sich nach Spanien einzuschiffen, wo Jeronimo's
mütterliche Verwandten wohnten. Allgemeine Trauer verursachte dieser Entschluß in den Gemüthern der übrigen ver-
trauten Gesellschaftsgenossen.

Rührend war am folgenden Tage der Abschied, und unsere
beiden früher Verurtheilten beschleunigten ihre Abreise um
so mehr, als sie beim letzten Gottesdienste erkannt und aufgegriffen worden wären, wenn nicht Don Fernando Ormez,
Sohn des Commandanten der Stadt, durch seine Vermittlung
und durch sein Ansehen sie gerettet hätte.

Nach einigen Jahren unternahm Don Fernando Ormez eine
Geschäftsreise nach Spanien, und erforschte bei dieser Gelegenheit den Aufenthalt der beiden Verbannten. Doch wie
freute er sich, als er von diesen selbst vernahm, daß bei ihrer
Ankunft in Spanien Jeronimo durch den kurz vorher erfolg-
ten Tod seiner noch einzigen Verwandten, der Schwester seiner Mutter, als der einzige Erbe eines sehr beträchtlichen
Vermögens an Geld und liegenden Gütern eingesetzt wurde.
Don Fernando mußte auf ihr dringendes Bitten einige Zeit bei
ihnen verweilen, und Zeuge ihres Glückes seyn. Als einmal in
seiner Gegenwart beide Eheleute, mit Dankgefühl gegen
Gott in ihrem Wohlstande, bei einander saßen, da ergriff
Jeronimo Josephens Hand und sagte: Wahrlich, die Ueberzeugung, daß begangene Fehler nicht bloß hier unserm
Gewissen, sondern selbst jenseits dem entkörperten Geiste
die Ruhe raubt, soll uns nicht allein vom Bösen abschrecken,
sondern wir wollen auch durch Lehre und Beispiel unsere
Kinder davon abhalten.

Beide Eheleute gelobten sich dieses, und Gott schenkte ihrer
guten Absicht Gedeihen. Ihre Kinder und Enkel waren gute,

fromme und edle Menschen, und ihr Geschlecht blüht noch
in Segen bis auf den heutigen Tag.«

In: Monats-Rosen. Zeitschrift für Belehrung und
Unterhaltung. München. Jg. 4 (1843). Bd. 2.
S. 283 f. (Die Vorlage für den hier wieder abge-
druckten Text wurde freundlicherweise von Helmut Sembdner zur Verfügung gestellt.)

3. Autoren des 19. Jahrhunderts

Von CLEMENS BRENTANO (1778–1842), der Kleist nicht eben
wohl gesonnen war, stammt die fragwürdige Überlieferung,
daß Kleist seine Dramen höher geschätzt habe als seine
Erzählungen. Brentano berief sich auf eine Äußerung von
Ernst von Pfuel (1779–1866), die er zusammen mit anderen
Gerüchten über Kleist, von denen er gehört hatte, an Achim
von Arnim schrieb, als er von Kleists Selbstmord erfahren
hatte (Prag, 10. Dezember 1811):

»Überhaupt werden seine Arbeiten oft über die Maßen
geehrt, seine Erzählungen verschlungen. Aber das war ihm
nicht genug, ja Pfuel sagt mir, daß sich vom Drama zur
Erzählung herablassen zu müssen, ihn grenzenlos gedemütigt
hat.«

Zit. nach: Nachruhm. Nr. 73a.

FRIEDRICH DE LA MOTTE FOUQUÉ (1777–1843) berichtete in
einem Artikel des »Morgenblatts« vom 1./2. März 1816 (»Ein
Gespräch über die Dichtergabe H. v. Kleists«) über Lesun-
gen von Kleists Werken im Freitags-Lesekreis bei Marie von
Kleist, an denen auch Ernst von Pfuel und Wilhelm von
Schütz teilnahmen:

»Und sie [Marie von Kleist] nahm Heinrich Kleists Erzählungen zur Hand und las die Legende von der heiligen *Cäcilia*,
und las das *Bettelweib* von Locarno, und zum Schluß das
Erdbeben von Chili, und in den edlen Kometenwein, welchen man, das Andenken des Dichters feiernd, aus hellen

Gläsern trank, fiel manch eine heiße, aus dem Herzen ent-
quillende, Träne.«

Zit. nach: Nachruhm. Nr. 261a.

CAROLINE DE LA MOTTE FOUQUÉ (1774–1831) veröffentlichte 1812 in der »Zeitung für die elegante Welt« (3.–5. September) ein »Gespräch über die Erzählungen von H. v.
Kleist«, das – ausgehend vom 2. Band der »Erzählungen«
(1811) – auch auf den ersten und das »Erdbeben« zurückgriff. Die fingierten Gesprächspartner entlehnte sie Goethes
»Wahlverwandtschaften«: Charlotte und Eduard, hinter dem
ihr Mann Friedrich zu vermuten ist, dazu als dritte Figur ein
Narziß:

»»Es ist auch‹, fiel Eduard ein, ›nicht sowohl das Vergehen
selbst oder die physiologische Entwickelung desselben, sondern die unsichtbare Gewalt des Gesetzes, welche gleichsam
durch die fortwaltende Ordnung gezwungen, in die Willkür
des Einzelnen eingreift, die in denen Erzählungen vor-
herrscht, welche Sie, Narziß, tadelnd erwähnen, und die ich
weniger Kriminalgeschichten, als juridische Dichtungen nennen möchte. Eine völlig neue und sicher höchst würdige Gattung der Poesie, weil sie ein unmittelbarer Abglanz der
himmlischen Rechtspflege die still vermittelnde Gewalt ewi-
ger Ordnung anschaulich und lebendig offenbart. Kleist ist
Schöpfer und Meister dieser Gattung, deren Gipfelpunkt bis
jetzt der *zerbrochene Krug* ist, auch bewegt er sich in diesem
Elemente am liebsten und mit großer Gewandtheit, wie
niemand leugnen wird; nur hält er sich auch hier nicht immer
frei von jener oben erwähnten außerwesentlichen Zutat,
wodurch er wirklich zuviel tut, und der Phantasie wie dem
Gemüt des Lesers entweder zu wenig tun läßt, oder gänzlich
stört, zu welchem letztern man wohl mit Recht in dem eben
Gelesenen das zerschmetterte, im Zimmer herumfliegende
Gehirn des armen Gustavs rechnen darf. Warum dies gewalt-
same innere und äußere Zerreißen, in einem Augenblicke, wo
alles zur endlichen Versöhnung hinneigt? – Zürnen Sie nicht,
liebste Charlotte, und lassen Sie mich, so strenges Urteil

abzubüßen, des *Erdbebens von Chili* erinnern; oder, um Sie
besser noch zu versöhnen, *die heilige Cecilie* lesen, welche
wir nur zum Teil [aus den Berliner Abendblättern] kennen,
da sie bei weitem vollendeter hier erscheint.«

Zit. nach: Nachruhm. Nr. 653.

KARL WILHELM SOLGER (1780–1819) schrieb am 4. Oktober
1817 an Ludwig Tieck (1821 von Tieck veröffentlicht):

»Was ihn [Kleist] mir dagegen weit über unsere Dichterlinge
erhob, das war sein tiefes und oft erschütterndes Eindringen
in das Innerste des menschlichen Gefühls, das er mir nur oft
zu hart und fast roh an das Licht riß, und die außerordentliche
energische und plastische Kraft der äußeren Darstellung,
wovon wir in den Schattenspielen unsrer Fouqués bei allem
Bombast so wenig finden. Diese Eigenschaften äußerte er
vorzüglich in seinen Erzählungen, welches Fach ich daher für
seinen eigentlichen Beruf hielt. Auch zeigte sich hier seine
Behandlung der Charaktere bedeutender; es schien seine
Hauptrichtung, diese ganz aus den Begebenheiten zu entwik-
keln, welches auch der Erzählung angemessen war; und dieser Hang begünstigte auch seine Neigung zu trüben, tragischen, ja bitteren, zerreißenden Ausgängen.«

Zit. nach: Nachruhm. Nr. 263a.

In den Tagebüchern von FRANZ GRILLPARZER (1791–1872)
findet sich 1818 folgende Notiz:

»Ich habe einige von Heinrich von Kleists (dessen der sich
erschoß) Erzählungen gelesen. Die Süjets sind interessant, die
Erzählung ist gut, zum Teil vorzüglich, und doch wandelte
mich ein äußerst widerliches Gefühl bei der Lesung an. Es ist
offenbar die Haltlosigkeit, die Selbstzerstörung des Verfas-
sers, die, aus allem hervorleuchtend, diesen Eindruck hervor-
bringt.«

Zit. nach: Nachruhm. Nr. 656.

Franz Horn (1781–1837), »Umrisse zur Geschichte und Kritik der schönen Literatur Deutschlands«, Berlin 1819:

»So löblich nun aber auch Kleist als Schauspieldichter waltete, so glauben wir ihm doch einen noch höhern Preis als Novellendichter zuerkennen zu müssen; denn wohl ist bewundrungswürdig, mit wie geringen Mitteln und in wie kleinem Raum er durch plastische Kraft, Gewalt der Darstellung, Ruhe und Energie der Sprache, und besonnen verwebte Beschreibung, er die beabsichtigte tiefe Wirkung erreicht.«

Zit. nach: Nachruhm. Nr. 658.

Ludwig Tieck (1773–1853), der schon 1821 in der Vorrede zu »Heinrich von Kleists hinterlassene Schriften« »Das Erdbeben in Chili« bewertet hatte als »eine Skizze, in wenigen Strichen gezeichnet, die eine Meisterhand verrathen« (S. LXI), schrieb 1826 in den »Dramaturgischen Blättern«:

»Wie viele Erzählungen besitzen wir Deutsche, deren Verfasser beliebt und belohnt wurden; aber wo sind diejenigen, die man höher als die Kleistschen stellen dürfte, welche kein Mensch kennt und würdigt?«

Zit. nach: Nachruhm. Nr. 661b.

Heinrich Gustav Hotho (1802–1873) veröffentlichte 1827 in den »Jahrbüchern für wissenschaftliche Kritik« (Nr. 85 bis 92) eine Besprechung von Ludwig Tiecks 1826 in Berlin erschienener Ausgabe »Heinrich von Kleists gesammelte Schriften«:

»Wenn nun auf diese Weise der Hauptinhalt der Tragödie darin besteht, daß die äußere Zufälligkeit das Gemüth wegen Nichtbeachtung dieser Zufälligkeit bestraft, so ist eben so sehr die äußere Wirklichkeit die Haup!theld, wodurch die *Begebenheit* das Ueberwiegende wird, und dadurch einen ähnlichen Inhalt geschickter macht, auf epische Weise in den prosaischen Erzählungen, deren wir deshalb jezt erwähnen wollen, dargestellt zu werden. Auch in ihnen ist, wie in allen

Kleist'schen Werken, fast jede Gestalt in dem Sinne naiv, daß sie nicht nach Sentenzen, allgemeinen Grundsätzen oder nach abstrahirten Reflexionen über den Inhalt ihrer Zwecke, sondern nach dem unmittelbaren Gefühle handelt. Was diese Gemüther in sich finden, sprechen sie aus, was ihr Gefühl sie zu thun antreibt, vollführen sie, daher sind sie im Ganzen wortarm, aber alles, was sie sprechen, kommt aus ihrem innersten Herzen. Ferner ist immer der ganze äußere und innere Haushalt jedes Gemüths aufs Bestimmteste ausgemalt. Die Charactere sind durchgehends scharf und fest gezeichnet, denn auf die Charactere, auf die bestimmten Stimmungen kommt es hier an, und es gibt keinen anderweitigen allgemeinen Inhalt, kein großes wichtiges Pathos, welches jene Unterschiede der Heftigkeit und Sanftheit, der Biederkeit, des Mißtrauns, der Unschuld und Heiterkeit aufzehrte, sondern diese Unterschiede mit ihren particulärsten Zügen sollen dem Gesicht erst seinen Ausdruck geben. So nimmt *Kleist* auch seine Bilder meist aus der unmittelbaren und oft gemeinen Wirklichkeit. Denn die rechte Bestimmtheit erhalten jene Charactere erst durch die ausgeführte Beschreibung der Begebenheit mit allen ihren kleinen Zufällen, ihrer Localität und ihren einzelnen Umständen. Doch ist in den Erzählungen nicht der Fortgang zu verkennen, daß in ihnen, was sich früher als Hauptsache hervorhob, jetzt mehr nur die Grundlage und der Boden wird, auf welchem sich Charactere entwickeln, die nun auch schon einen weitern Inhalt gewonnen haben.«

»Deutlicher noch tritt diese Verstimmung des Dichters, welche die gerechte Reaction sittlicher und religiöser Zustände gegen die inneren Herzenswünsche als Grausamkeit ausspricht, in der kleinen Erzählung: ›Das Erdbeben in Chili‹ hervor, deren wir deshalb an dieser Stelle Erwähnung thun wollen. Denn auch hier hat wiederum der Zustand, den die Schuldigen durch die Vollführung ihrer innern Wünsche verletzen, nicht vollendete Gültigkeit, während die rein menschlichen Züge nur gerade da hervorbrechen, als das Erdbeben alle sonst geltenden Verhältnisse aufgelöst hat, und jener Zustand bei seiner zurückkehrenden Wiederherstellung den Unglücklichen eine Schuld aufbürdet, zu der sie sich nicht bekennen dürfen.«

Zit. nach: Text und Kontext. Quellen und Aufsätze zur Rezeptionsgeschichte der Werke Heinrich von Kleists. Hrsg. von Klaus Kanzog. Berlin: Erich Schmidt, 1979. S. 19 und 28.

FRIEDRICH HEBBEL (1813–63) an Elise Lensing, 23. Mai 1837:

»Die Lektüre der Heinrich von Kleistschen Erzählungen hat mich erfrischt und wahrhaft gefördert. So geht es mit allen echten Werken des Genies, sie sind unerschöpflich. Kleist ist, soweit man ein Muster haben kann, mein Muster; in einer einzigen Situation bei ihm drängt sich mehr Leben, als in drei Teilen unserer modernen Roman-Lieferanten. Er zeichnet immer das *Innere* und das *Äußere zugleich, eins* durch das *andere*, und dies ist das allein Rechte.«

Zit. nach: Nachruhm. Nr. 295.

FRIEDRICH HEBBEL, »Über Theodor Körner und Heinrich v. Kleist. Dem Hamburger ›Wissenschaftlichen Verein‹ vorgelegt am 28. Juli 1835«:

»Heinrichs von Kleist Erzählungen gehören dagegen zu den besten, die die deutsche Literatur besitzt. Fast alle Erzählungen unserer Dichter, einen Hoffmann und Tieck nur in wenigen ihrer Produktionen ausgenommen, leiden – möchte ich sagen – an der *Ungeheuerheit* der gewählten Stoffe, wenn sie sich überhaupt über die Mittelmäßigkeit erheben. Es bedarf aber nicht eben eines tiefen psychologischen Blicks, um zu wissen, wie eine Begebenheit, die den ganzen Menschen wie ein Sturmwind erfaßt, auf ihn wirken wird, und sehr gewöhnliche Talente dürfen sich mit Ruhe an Aufgaben dieser Art wagen, wie z. B. jeder Maler von einiger technischer Fertigkeit die Verzweiflung, die Angst, den Schrecken, kurz alle diejenigen Gemütsbewegungen, die nur *einen* Ausdruck zulassen, darstellen kann, wogegen ein Rembrandt erforderlich ist, wenn eine Zigeunerwirtschaft dargestellt werden soll. Kleist hat sich daher andere Aufgaben gestellt; er wußte, und mochte es mit Schmerz an sich selbst erfahren haben, daß der Vernichtungsprozeß des Lebens keine Wasserflut, sondern ein Sturzbad ist, und daß der Mensch *über* jedem großen Schicksal, aber *unter* jeder Armseligkeit steht.«

Zit. nach: Nachruhm. Nr. 666.

Ernst von Feuchtersleben (1806–49), »Die Novelle«, in: »Beiträge zur Literatur, Kunst- und Lebenstheorie,« Bd. 2: »Lebensblätter«, Wien/Leipzig 1841:

»Um so mehr ist es zu bedauern, daß er [Goethe] seinerseits das außerordentliche Talent Heinrich Kleists, wie es mir scheint, nicht genug würdigte, von dem es mich drängt, hier einige Worte zu sagen. Abgestoßen, wahrscheinlich von dieses Dichters unglücklicher Richtung, bemerkte Goethe nicht deutlich, daß kein Mensch zu erzählen verstand wie dieser. Ruhig, ja kalt, wie Aktenstücke eines Prozesses, kunstreich aneinander gereiht, sich auseinander entfaltend und erklärend, spinnen sich Kleists Erzählungen vor unseren Augen ab; kurz, bestimmt, unabänderlich, mit eiserner Folgerichtigkeit, wie das Schicksal, schreitet er, von tausend Ahnungen umgeben, vorwärts; keine Reflexion unterbricht seine nüchternen Silben, und doch fühlen wir, daß zentnerschwere Betrachtungen in jeder liegen; mit keinem Laute menschlicher Empfindung verrät er ein Herz, das an dem, was er berichtet, teilnimmt, und doch macht er, daß unser Haar sich sträubt, daß unsere Eingeweide sich in uns zu wenden scheinen; alles lebt in seinen Bildern bis auf den kleinsten Zug herab; nirgends Mangel, nirgends Überfluß; das ungeheure Rätsel des Lebens rollt sich, Schlag auf Schlag, wie ein unendliches Gewitter vor uns ab – Licht und Nacht wechseln und verschlingen sich, bis mit dem letzten ferne verhallenden Donner der Tag zurückkehrt, und uns der Rührung, dem Staunen, dem Entzücken überläßt.«

Zit. nach: Nachruhm. Nr. 304a.

JULIAN SCHMIDT (1818–86), »Einleitung« in: »Heinrich von Kleists gesammelte Schriften«, hrsg. von Ludwig Tieck, rev. und erg. von J. S., Tl. 1, Berlin 1859:

»Aus diesem übertriebenen Realismus erklärt sich die Neigung, auf die letzten Gründe des Geistigen, von der Psychologie auf die Physiologie zurückzugehn, und so jenem dunkeln Naturgebiet anheimzufallen, das keine Kunst zu adeln imstande ist. Das gilt namentlich von dem geschlechtlichen Verhältnis. Fast in jedem seiner Stücke, namentlich in den Novellen, finden sich anstößige Szenen, zuweilen durch gar keinen innern Grund gerechtfertigt, oder mit einer beleidigenden Paradoxie vorgetragen. Zwar wird er nie lüstern, er stellt nicht das Sinnliche dar, sondern nur das Nackte, aber auch in dieser Vorliebe für das Nackte liegt eine gewisse Empörung gegen die sittlichen Begriffe des Zeitalters, und die Menge erträgt eher die Verletzung der Moral als eine Beleidigung der Scham. Diese Vorliebe für das Nackte zeigt sich auch darin, daß er alle Empfindungen auf die Spitze treibt; er würde in seiner Aufrichtigkeit einem Volk wie die Franzosen, die doch in ihren Romanen wahrlich keine Moralisten sind, in jeder Zeile gleich unverständlich und ungenießbar sein.«

Zit. nach: Nachruhm. Nr. 329.

WILHELM DILTHEY (1833–1911) an Luise Scholz, Berlin, Dezember 1860:

»Über den Nolten [von Mörike] würde ich gern einmal mit Ihnen und Joachim reden, lieber noch über Kleist, dessen merkwürdige Novellen ich sehr genau kenne. Ich habe öfters über den Charakter und die Geschichte der Novelle nachgedacht und da ist mir Kleist sehr interessant. [. . .]
Bei Kleist ist der Eindruck in eigentlichem Sinne schmerzlich. Er hat in seinen Novellen das Widersinnige, ja Absurde, welches uns zuweilen im Schicksal erscheint, in den verschiedensten Formen ausgedrückt, am wildesten in der Marquise von O. und im Kohlhaas. Dem letzteren kommen wir jetzt dadurch beim Lesen zuhülfe, daß wir den glühenden Haß

darin, der dem Schicksal gilt, in die Politik hinüberspielen. Sieht man so in diesen Novellen alles Tollste mit kalter Alltäglichkeit auftreten, schreckliche Begebnisse ohne einen Ton der Mitempfindung, ohne einen Kontrast, als müßte das so sein und wäre überall so, die seltsamsten Charaktere ohne jede leise Ironie des Darstellers, als wäre die Welt ein Tollhaus, vor uns hingestellt: so begreift man kaum, wie dieser Mensch das Leben so lange ertrug. Man muß einige Stellen seines größten Werkes, des Prinzen von Homburg, in welchem seine Phantasie bereits mit den Schrecken des Todes in der Ahnung des Selbstmordes spielt (dieser Punkt ist mir stets ein Indizium gewesen, daß die Tat nichts spät Aufgetauchtes, sondern etwas lang Durchdachtes war), zu diesen Novellen halten, um das Innere recht zu durchschauen, aus dem diese Verzweiflung an der Vernunft in der Welt so hart und kalt und doch so glühend hervorbricht. Auf der Unterlage dieser Gemütsstimmung bildeten sich nun diese Novellen unter dem Einflusse der romantischen Novellisten; in dieser Beziehung ist der Vergleich mit Arnims Novellen interessant, die freilich sehr talentlos sind. Das Straffe und Kurze in seiner Technik – ebenso in der Behandlung der einzelnen Sätze, die kurz und hart ausgeschnitten nebeneinander stehen, als wolle jeder stolz und schroff nur auf sich stehen, als in der Art, wie die Handlung plötzlich eingeleitet und plötzlich abgebrochen an einem einzigen scharf angezogenen Faden abläuft – ist ebensosehr Folge der innren Stimmung seiner Phantasie, als seines Begriffs von der Kunstform der Novelle. Dies ist nun, was einen zuerst in Erstaunen setzt, später zugleich interessiert und abstößt: auch ohne ihn völlig in seiner Intention zu verstehen, muß man schon durchfühlen, daß hier eine Stimmung dauernd herrscht, welche selber durchlebt zu haben jedem eine furchtbare Erinnerung ist. Und so hilft mir wenigstens wenig, daß hier aus jeder Seite ein großer Dichter redet: ich liebe es nicht, mich in dies Labyrinth der verworrensten Gemütsstimmung, in der einem ist, als ob – mit alten Sagen zu reden – die Sterne vom Himmel gefallen und die Sonne von dem furchtbaren Fenriswolf verschlungen wäre und die tükkischen und ungeschlachten Riesen herrschten, nun ewig hineinziehen zu lassen. Das Schreckliche soll von dem Menschen mit einem heiligen Vertrauen auf die göttliche Vernunft hingenommen werden: jene Stimmung aber ihm gegenüber ist heillos, dumpf und entsetzlich – entsetzlich wie der Gedanke von den zufällig kreisenden Atomen in der Wissenschaft – und zugleich wie dieser ohne Größe. Ich denke – durch eine seltsame Gedankenverbindung oder vielmehr einen Gegensatz der Vorstellungen – an jenen betenden Jüngling, der in der Tiber gefunden worden ist, wie er still und groß und frei die Arme zum Äther emporhebt. Da ist wahre Größe in der Stimmung, und das ist mir in aller Kunst das Erste.«

Zit. nach: Nachruhm. Nr. 333b.

PAUL HEYSE (1830–1914) und HERMANN KURZ (1813–73) in der Herausgebereinleitung zu Kleists Erzählung »Die Verlobung in St. Domingo«, in: »Deutscher Novellenschatz«, Bd. 1, München [1871]:

»Noch ehe Goethe sich zum zweitenmal der Novelle zuwendete, hatte Kleist (1810–11) seine Erzählungen herausgegeben. Es ist schwer, diesem Dichter gerecht zu werden, von welchem man sich ebenso gewaltig angezogen als abgestoßen fühlen muß. Eine Gestaltungskraft, die über das Höchste, was wir besitzen, noch hinauszureichen scheint, die das Süßeste wie das Erschütterndste zu verkörpern weiß, und doch wie oft mitten in der herrlichsten Entfaltung ihre Schöpfungen mit einem widerwärtigen Querstrich vernichtet! Die Lösung des Rätsels ist, daß eine dunkle Fügung hier einen Genius von seltener Größe in ein krankes Gefäß eingeschlossen hat, das, obendrein durch unermüdlich grausame Lebensschicksale und tief empfundenes Unglück der Zeit aufgerieben, sich in einem unruhigen Schaffen bewegt, bei welchem Poesie und Irrsinn Hand in Hand gehen.«

Zit. nach: Nachruhm. Nr. 676.

4. Autoren des 20. Jahrhunderts

FRANZ KAFKA (1883–1924) hat sich nur spärlich zu Kleist geäußert, doch ist die Wirkung von Kleists Prosa auf das moderne Erzählen wohl am nachhaltigsten bei ihm zum Tragen gekommen. Am 27. 1. 1911 schrieb er an Max Brod: »Kleist bläst in mich wie in eine alte Schweinsblase« (Franz Kafka, »Briefe 1902–1924«, hrsg. von Max Brod, Frankfurt a. M. 1975, S. 87). Im Dezember 1911 verfaßte er eine begeisterte Besprechung »Über Kleists Anekdoten«, deren Erstdruck bislang noch nachgewiesen werden konnte. »Das ist ein Anblick, wenn die großen Werke, selbst bei willkürlicher Zerteilung, aus ihrem unzerteilbaren Innern immer wieder leben, dann vielleicht ganz besonders in unsere trüben Augen schlagend«, so beginnt diese Besprechung einer Einzelausgabe der Anekdoten von Julius Bab, die 1911 in Leipzig erschienen war (Franz Kafka, »Erzählungen«, hrsg. von Max Brod, Frankfurt a. M. 1983, S. 233). Die große Bedeutung, die Kleist für Kafka hatte, der besonders den »Kohlhaas« liebte und einmal auch in öffentlicher Lesung vorgetragen hat, kommt am deutlichsten in den Briefen an Felice zum Ausdruck. Am 2. 9. 1913 schrieb Kafka: »Sieh, von den vier Menschen, die ich (ohne an Kraft und Umfassung mich ihnen nahe zu stellen) als meine eigentlichen Blutsverwandten fühle, von Grillparzer, Dostojewski, Kleist und Flaubert, hat nur Dostojewski geheiratet, und vielleicht nur Kleist, als er sich im Gedränge äußerer und innerer Not am Wannsee erschoß, den richtigen Ausweg gefunden« (Franz Kafka, »Briefe an Felice«, hrsg. von Erich Heller und Jürgen Born, Frankfurt a. M. 1976, S. 460).

Die Nähe von Kleist und Kafka ist früh schon bemerkt worden. Oskar Walzel veröffentlichte im Juli 1916 eine Besprechung von Kafkas »Der Heizer« und »Die Verwandlung«, die mit dem Hinweis auf Kleist eröffnet wurde: »Feinfühlige, denen ich Franz Kafkas *Heizer* vorlas, bestätigen mir, was mir beim Vorlesen noch stärker auffiel als beim stillen Lesen: die kleine Erzählung hat etwas Kleistisches« (Oskar Walzel, »Logik im Wunderbaren«, in: »Berliner Tageblatt«, 6. Juli

1916). Der Einfluß, den zumal die Eröffnung des »Erdbebens in Chili« auf Kafkas »Verwandlung« und das »Urteil« gehabt hat, wurde ebenso bemerkt und mehrfach untersucht.[5]

CARL JACOB BURCKHARDT (1891–1974) schrieb 1926 über das »Erdbeben in Chili« an Hugo von Hofmannsthal:

»Wenn man weiß, was ein Kleist aus einer Zeitungsnotiz zu machen fähig war, als er das ›Erdbeben von Chile‹ erzählte, einen Vorgang unter tausenden in jene Höhe und Allgemeinheit erhebend, wo alles paradigmatisch wirkt, so erkennt man, daß ein schöpferischer Vorgang immer das Gesetz eines Ereignisses ins Unendliche steigert, ohne jemals auch nur einen Zoll breit von seiner Notwendigkeit abzuweichen. Kleist bleibt wie alle Großen, wie Tolstoi, wie Melville, wie Dickens, wenn er erzählt, im Raum, er verliert sich nicht an seine ›Jetztzeit‹. [. . .] Poesie ist immer überzeitlich, und wer uns das Gegenteil beweisen will, wird vom ersten Herbststurm weggetragen werden. Wer es aushält im ›Raum‹ zu leben, ist allerdings einem furchtbaren Druck ausgesetzt, Kleist hat ihn nicht ausgehalten, die Gelassenheit der Reife war ihm nicht vergönnt.«

Zit. nach: Nachruhm. Nr. 683.

MARIELUISE FLEISSER (1901–74) veröffentlichte im Kleist-Heft der Essener Theater-Zeitschrift »Der Scheinwerfer« (Oktober 1927, anläßlich des 150. Geburtstages) den Artikel »Der Heinrich von Kleist der Novellen«, der mit zusammenfassenden Betrachtungen seiner Prosa schloß:

»Er liefert einen sachlichen und auffallend umfassenden Bericht dessen, was seine Personen unter den und den

---

5 Vgl. Hartmut Binder, »Motiv und Gestaltung bei Franz Kafka«, Bonn 1966, S. 279–286 (»Erdbeben« / »Verwandlung«); Hartmut Binder, »Kafka-Kommentar zu sämtlichen Erzählungen«, München 1975, S. 135 ff. (»Erdbeben« / »Urteil«). Die einschlägige Literatur über Kleist und Kafka ist zuletzt zusammenfassend verzeichnet bei Beda Allemann, »Kleist und Kafka. Ein Strukturvergleich«, in: »Franz Kafka. Themen und Probleme«, hrsg. von Claude David, Göttingen 1980, S. 152–172.

Umständen taten und wohin sie damit gerieten; er unterläßt jede Beobachtung, die nicht den Gang der Handlung vorwärtsschreiten läßt. Augenblicke des bloßen atmosphärischen Lebens, wie sie sonst der epischen Darstellungsart eigentümlich sind, gibt es bei ihm nicht, damit kann er sich nicht aufhalten. Er bleibt nirgends im Beschreibenden stehn. Seine Personen sind mit ihrer einzigen Sache beschäftigt und sonst mit nichts. Seine Art, auf seine Personen zu blicken, ist die eines guten Regisseurs. Er behält eine genaue Übersicht über jede ihrer Bewegungen und Ortsveränderungen, jedes Erblassen und Erröten. Aber seine Teilnahme an seinen Personen ist weit eher als eine von außen betrachtende eine sehr mitbeteiligte, von innen nachspürende; er hat sich ihrer Muskelgefühle bemächtigt, zu seinem eigenen Leib gemacht und geht ihnen mitschwingend von innen nach. Sein Stil ist gedrängt und kann nur langsam gelesen werden. Mit seiner Neigung zum Extremen häuft er die Akzente. Auffallend sind seine langen und vielverschränkten, aus genauem lateinischem Sprachgefühl herkommenden Sätze. Bei aller sachlichen Berichtsform, und obwohl er historische Stoffe auswählt, geht ihm die Neutralität des Berichterstatters gänzlich ab. Er läßt seine Gestalten nicht, er segnet sie denn mit seinen Sinneswahrnehmungen, seinem Lebensgefühl. Auffallend ist die unausgesprochene Erotik, die ihn veranlaßt, fast stets Frauen zu seinen Helden zu machen, als ob er aus dem Chaos seine Artgenossinnen heraufbeschwören müßte, da sie durch ein unbegreifliches Versehen der Natur einstweilen noch nicht da sind. Unermüdlich bläst er seinen Gestalten seines Wesens Hauch ein, es können gar nie genug dasein, er muß immer noch einmal einen Kleistischen haben. Eine ganze Welt will er mit diesem Vorzeichen versehen. So bleibt er rührend in den Grenzen seiner Sinneswahrnehmungen gefangen, es geht einmal nicht in seinen Schädel, daß anders sein auch noch leben ist.«

Zit. nach: Schriftsteller über Kleist. Eine Dokumentation. Hrsg. von Peter Goldammer. Berlin / Weimar: Aufbau-Verlag, 1976. S. 231 f. © Suhrkamp Verlag, Frankfurt am Main.

ARNOLD ZWEIG (1887–1968) hatte 1922 einen »Versuch über Kleist« publiziert, dem er 1946 eine Betrachtung über Kleists Erzählungen zufügte: »Ausklang: Nochmals der Novellist«:

»Er als erster beschaut und erzählt Ereignisse innerhalb menschlicher Wohnstätten und Seelen, als geschähen sie in großen Insektenbauten, bei Ameisen oder Termiten. Das bedeutet nicht etwa, daß er sich über seine Personen lustig macht; es bedeutet vielmehr, daß er mit einer Art übermenschlichen Blickes hoch von oben auf die Welt seiner Zeitgenossen herniederschaut und gleichzeitig in ihnen selber mitlebt, ihren Herzschlag mitfühlt, ihre Gedanken mitdenkt und die Irrungen und Fehler mit begeht, die ihre Handlungen miteinander verknüpfen und ihr Geschick, ihre Lebenslinien zeichnen. Der stärkste Ausdruck dieser Betrachtungsart ist das Meisterstück ›Das Erdbeben in Chili‹, dessen Stoff Kleist, wie auch den der ›Verlobung in San Domingo‹ und des ›Findlings‹, aus Berichten entnahm, kurzen Nachrichten aus aller Welt. Aber nun muß der Leser an sich selber erleben, wie er in die Ereignisse und Verwirrungen hineingerissen wird, die der Dichter vor ihm aufbaut. Die von heftigen Gegensätzen bewegte Natur des südamerikanischen Chile scheint in die Charaktere der Menschen und die Ereignisse und Vorgänge hineinzuwetterleuchten wie auf den Bildern spanischer Maler der Barockzeit, welche für jene katholischen Länder den Stil von Staat und Gesellschaft gleichsam bis heute festhalten.

Das allgemein Gültige aber dieser überlebensgroßen Gestalten zu erkennen, braucht der Leser das Erdbeben von Santiago nur durch das Luftbombardement von Rotterdam, Warschau oder Dresden zu ersetzen, die klerikalen Masseninstinkte jener Zeit aber durch die nationalistischen der unseren. Dann stellt sich heraus, daß der Blick eines so geprüften und genialen Menschenkenners wie Kleist in seinen Personen Wesenszüge entblößt, die sich zwischen 1640 und 1940 nicht verändert haben. Solange der Zwang, den die Gesellschaft durch ihre Lebensregeln ausübt, mit der natürlichen

Anmut und dem tapferen Adel jugendlichen Wesens zusammenstößt, werden Gestalten wie die schöne Josephe oder die jungen Männer Jeronimo und Fernando Vertreter eines Weltgefühls bleiben, das mit Gewalttätern wie dem Schuster Pedrillo und den von ihm verkörperten Mordinstinkten des Kleinbürgertums unversöhnlich Abrechnung halten muß. Die sinnlosen Zickzacksprünge des menschlichen Daseins sind selten so großartig wie in dieser Erzählung einem Kunstwerk zugrunde gelegt worden.«

Arnold Zweig: Essays. Bd. 1.: Literatur und Theater. Berlin: Aufbau-Verlag, 1959. S. 145 f.

THOMAS MANN (1875–1955) verfaßte 1954 eine Einleitung für eine amerikanische Ausgabe von Kleists Erzählungen (erst 1960 publiziert), die in deutscher Fassung zuerst 1955 unter dem Titel »Heinrich von Kleist und seine Erzählungen« erschien:

»Kleists Erzählersprache ist etwas absolut Singuläres. Es genügt nicht, sie ›historisch‹ zu lesen, – auch zu seiner Zeit hat kein Mensch so geschrieben wie er. Sind seine Stoffe herausfordernd, sein Vortrag ist es nicht minder, und seine Zeitgenossen, einige kunsterfahrene Bewunderer, vor allem Tieck, ausgenommen, haben ihn ungenießbar maniriert gefunden. Und doch kann von Manieriertheit nicht die Rede sein, wo soviel Ernst, Natur, persönliche Notwendigkeit herrschen. Ein Impetus, in eiserne, völlig unlyrische Sachlichkeit gezwungen, treibt verwickelte, verknotete, überlastete Sätze hervor, in denen immer wieder mit verschachtelten ›dergestalt, daß‹-Konstruktionen gewirtschaftet wird und die geduldig geschmiedet und zugleich von atemlosem Tempo gejagt wirken. Er bringt es fertig, eine indirekte Rede von fünfundzwanzig Druckzeilen ohne Punkt-Pause hinzulegen, worin nicht weniger als dreizehn ›daß‹ hintereinander herhetzen, mit einem ›kurz, daß‹ am Ende, welches aber das Ende nicht ist, denn es folgt noch ein ›und daß‹. Berühmt als Meisterstück gedrängter Exposition ist der Anfangssatz des ›Erdbebens von Chili‹, der mit souveräner Sachlichkeit alles

Nötige unterzubringen und in schöner Gliederung auf einmal
auszusprechen weiß.«

»Es mag dies der Ort sein zu einem Hinweis auf Kleists ambi-
valentes Verhältnis zur katholischen Kirche. Briefstellen von
ihm liegen vor, die das Bedauern erkennen lassen über die
inneren Hemmungen des norddeutschen Protestanten, zum
kunstverbunden-volkstümlichen Sinnentrost der Papstkirche
überzutreten. Der Standpunkt des Novellisten ist schwan-
kend, veränderlich, widersprüchlich – im ›Findling‹ so nega-
tiv und feindlich wie im ›Erdbeben von Chili‹, einer pracht-
vollen Erzählung, worin alles Glück und Verzeihen, alle
Güte, seelische Reinigung und Menschenverbrüderung, die
aus der gemeinen Heimsuchung, der fürchterlichen Naturkatastrophe ›wie eine schöne Blume aufgehen‹, zerstört und in
mörderische Sühn- und Strafwut verkehrt werden durch den
Fanatismus eines Dominikaner-Predigers.«

»Der Begriff des ›Spannenden‹ ist mit dem der Erzählung eng
verbunden. Mit Recht: erzählen heißt spannen, und des
Erzählers Kunst ist, zu unterhalten noch mit dem, was
eigentlich langweilig sein müßte, zu spannen selbst mit dem
der Sache nach Altvertrauten, dessen Verlauf und Ausgang
jeder schon kennt. Nicht dieser Art ist die Spannung, die
Kleist, der Erzähler, erzeugt. Er hält es mit dem Wortsinn des
Namens ›Novelle‹, der ›Neuigkeit‹ heißt. Was er mit unbe-
weglicher Miene vorbringt, sind Neuigkeiten, unerhört; und
die Spannung, in der sie den Leser halten, hat etwas unheim-
lich Spezifisches. Sie ist Besorgnis, Schrecken, das Grauen
vor dem Rätselhaften, Zwiespalt der Vernunft, der ängstliche
Eindruck, daß Gott sich irrt, – ›Verwirrung des Gefühls‹. Es
ist nicht zuviel gesagt: Er weiß auf die Folter zu spannen –
und es fertigzubringen, daß wir's ihm danken.«

Thomas Mann: Gesammelte Werke. Bd. 9: Reden
und Aufsätze. Frankfurt a. M.: S. Fischer, 1960.
S. 832 f., 836 f. und 841 f.

HANS MAYER (geb. 1907) veröffentlichte 1962 die Studie »Heinrich von Kleist. Der geschichtliche Augenblick«, in der er auch auf die Weiterwirkung von Kleists Prosa im 20. Jahrhundert einging:

»Auch Kleists Erzählungen sind schon von weitem als Schöpfungen eines Dramatikers erkennbar. [. . .] Auch im *Erdbeben in Chili* kann man unschwer ›retardierende Momente‹ im dramaturgischen Sinne erkennen. Weit also davon entfernt, seine Erzählungen gleichsam im Sprachrausch niederzuschreiben, scheint Kleist viel eher bemüht, ihnen eine Strenge des Aufbaus abzugewinnen, die sich der Dramatiker abverlangen muß, will er die gewünschten Wirkungen der Tragödie oder Komödie auf dem Theater erzielen.

Die Einsicht aber in diese Aufbauprinzipien des Erzähler-Dramatikers Kleist hat umgekehrt zur Behauptung geführt, die Eigenart von Kleists Erzählungen liege gerade darin, daß nicht bloß der Ablauf des Geschehens, sondern sogar die Moralité bereits mit den ersten Sätzen vom Erzähler vorweggenommen werde.«

»Kleists Sprache, um das zu wiederholen, steht in seinem Zeitalter vergleichslos da. Nicht bloß, weil er ein Genie und ein Stotterer war. Die Sprache Heinrich von Kleists gehört zur singulären Position dieses Mannes zwischen Reifen und Verfall der Bürgerwelt.

Damit soll gar nicht der Soziologismus geboten werden, an die Stelle des Psychologismus zu treten, wenn es gilt, die Eigenart der Kleistsprache zu verstehen. Aber jede erzählerische Haltung ist zugleich eine gesellschaftliche Haltung; die Wahl eines epischen Prinzips ist immer zugleich eine soziale Entscheidung. Eines steht fest: die Sprache Kleists hat ebenso mit der *Einsamkeit* zu tun wie der Inhalt seiner Werke. Hier schreibt eigentlich ein Erzähler ohne Publikum. Wenn man Gottfried Benns Formel vom lyrischen Monolog abwandelt, läßt sich die Eigenart der Kleist-Erzählungen dahin verstehen, daß es sich bei ihnen um *monologische Epik* handelt. Die Sprache bringt es an den Tag.

Die Anfänge von Kleists Erzählungen sind in der Tat überaus
bedeutungvoll, denn hier wird jeweils der epische Raum
zugleich als gesellschaftlicher Raum abgemessen. [. . .]
Natürlich strebt auch Kleist danach, Geschehen gegenwärtig
zu machen. Aber nicht für einen Leser oder Zuhörer. Der
Erzähler tritt zurück. Das erzählerische Subjekt scheint zu
fehlen. Es fehlt auch jegliche Andeutung eines Adressaten.
Der Epiker Kleist scheint nicht gewillt, die Konvention bei-
zubehalten, als sitze der Erzähler im Lehnstuhl und berichte
unerhörte und merkwürdige Vorfälle vor einem Kreise der
gebildeten und empfänglichen Geister. Unerhörte und in sich
abgeschlossene Begebenheiten freilich im Sinne von Goethes
Novellen-Definition schildert Kleist in allen seinen Geschichten. Aber es sind stets Geschichten aus der *Vergangenheit* und aus *fernen Ländern.* Chili; St. Domingo; Italien
im Findling wie in den Geschichten des Bettelweibs oder der
Marquise. Räumliche Distanzierung und Historisierung wirken zusammen. Das Thema des Exotismus, das die Weltliteratur des 19. Jahrhunderts seit etwa 1830 so stark prägen
sollte, ist gleichfalls schon bei Kleist vorweggenommen.
[. . .]
Auch hierin bedeutet Kleist eine große Vorwegnahme. Ein
Chronist der Historien. Ein Reporter. Ein unheimlicher
Gerichtsschreiber für die Mitwelt, wohl eher für die Nach-
welt. Monologische Epik, denn der Adressat bleibt anonym,
ist eher institutiell als personell zu verstehen.
Dies allerdings weist zu Kafka hinüber, übrigens auch
zu *Bertolt Brechts* Kalendergeschichten und nicht minder zu
den – gleichfalls chronikhaft angelegten – Erzählungen der
Anna Seghers. Die Verfasserin des *Aufstands der Fischer von
St. Barbara* und Kleistpreisträgerin wußte schon, warum sie
sich im Jahre 1938 in ihrem Briefwechsel mit Georg Lukács
gegen dessen doch recht grobschlächtige Behauptungen
wehrte: ›Kleist hat in dieser Zeit die Mischung von Reaktion
und Dekadenz repräsentiert.‹ Anna Seghers empfand umgekehrt eine tiefe Gemeinsamkeit zwischen der Reaktion
Kleists auf die Ereignisse seiner Epoche und der Haltung

eines modernen Erzählers. Von beiden, Kleist *und* der modernen Epik, bekannte sie in jenem Briefwechsel: ›Die Realität ihrer Zeit und ihrer Gesellschaft hat auf sie nicht den allmählichen nachhaltigen Eindruck ausgeübt, sondern eine Art von Schockwirkung.‹ Kafka – Brecht – Anna Seghers: es ist jedesmal ein anderer Kleist, der hier zum epischen Vorbild wurde. Viele andere moderne Erzähler[6] wären zu nennen als Abwandlungen des immer gleichen Sachverhalts. Alle Formen moderner Objektivierung in Erzählung und Roman finden in Kleist bereits den Vorläufer. Die Sprache dient der Entfremdung, denn die ›Schockwirkung‹, von welcher Anna Seghers spricht, entspringt dem Schock über die *Selbstentfremdung des Menschen* in jener Phase der Bürgerwelt, die Kleist erlebte und als erster in ihren krisenhaften Aspekten zu deuten verstand.«

> Hans Mayer: Heinrich von Kleist. Der geschichtliche Augenblick. Pfullingen: Neske, 1962. S. 63 und 64–68.

ROLF TIEDEMANN (geb. 1932) verfaßte 1977 »Marginalien zur Novellistik Heinrichs von Kleist«, die unter dem Titel »Ein Traum von Ordnung« als Nachwort zu einer Ausgabe der Erzählungen erschienen:

»An die Stelle der gesellschaftlichen Katastrophe, als welche in der ›Verlobung in St. Domingo‹ die Revolution erscheint, tritt im ›Erdbeben in Chili‹ eine Naturkatastrophe, die alle in der Gesellschaft latente Aggressivität heraustreibt und in der

---

6 Zu nennen wäre, anknüpfend an die Kleist-Rezeption von Anna Seghers, etwa Christa Wolf. In Fortführung der Linie Kafka–Brecht wäre an Alexander Kluge zu denken. Schließlich soll in diesem Zusammenhang nicht unerwähnt bleiben, daß Walter Benjamin Kleists Prosa sehr geschätzt hat. Ein früher Hinweis findet sich in einem Brief an Herbert Belmore vom 6./7. Juli 1914, er lese »Kleists Prosa aufmerksam« (Walter Benjamin, »Briefe«, 2 Bde., hrsg. von Gershon Golem und Theodor W. Adorno, Frankfurt a. M. 1966, Bd. 1, S. 115). Ebenso berichtet Asja Lacis von der ›Begegnung mit Benjamin auf Capri 1924: »Er brachte mir die Anekdoten und die kleinen Geschichten von Heinrich von Kleist, von denen er sehr begeistert war« (Asja Lacis, »Revolutionär im Beruf«, hrsg. von Hildegard Brenner, 2. Aufl., München 1976, S. 47).

Pogromstimmung sich überschlagen läßt. Wie ein Lehrstück
moderner Massenpsychologie muten die Schilderungen an,
die Kleist von Zuständen des 17. Jahrhunderts gibt und für
welche die Literatur seiner Zeit kaum ein Gegenstück kennt.
Keine Illusion wird darüber zugelassen, daß die Identifika-
tion der Individuen mit dem Kollektiv Schein ist. Wenn die
dem Erdbeben gerade Entkommenen im beschatteten Tal
sich zusammenfinden, so ist doch die ›Seligkeit‹, die sie finden, eine, ›*als ob* es das Tal von Eden‹ wäre; wenn die Geretteten einander plötzlich ›mit so vieler Vertraulichkeit und
Güte‹ behandeln, so heißt das für den Dichter nur: ›es war, *als
ob* die Gemüter, seit dem fürchterlichen Schlage ... alle ver-
söhnt wären‹. Unmittelbarer Angst und Lebensnot entho-
ben, wird in der Kirche die Menge sogleich wieder zum
›wütenden Haufen‹, der das Mordurteil vollstreckt. Freuds
Theorie aus ›Massenpsychologie und Ich-Analyse‹ vorweg-
nehmend, fehlen in der Kleistschen Novelle weder die Füh-
rergestalten – der älteste Chorherr und Meister Pedrillo, der
Schuhflicker –, in denen die Menge ihr Ich-Ideal verkörpert
sieht, noch die ›negative Idee‹ als ›zielgehemmte Sexualstre-
bung‹: daß Josephes und Jeronimos, nach den Gesetzen von
Kirche und Gesellschaft verbotene Liebe das Erdbeben als
Strafe Gottes auf die Stadt gezogen habe und durch ihren Tod
gesühnt werden müsse. Das Unerhört-Ungeheure des ›Erdbebens in Chili‹ wird in einer überaus kunstvollen, fast artisti-
schen Steigerung dargestellt: zunächst als Unmenschlichkeit
des Todesurteils, das über Josephe gefällt ist, bevor die Handlung noch begonnen hat; sodann, gegenläufig dazu, in einer
Art Peripetie, als wunderbare Rettung der Liebenden durch
das Erdbeben; schließlich, die Wendung zurücknehmend
und den tödlichen Zirkel schließend, als Pogrom, in dem vier
Unschuldige hingemordet werden. Ungeheurer aber als einzelne Begebenheiten ist die Identität von Anfang und Ende,
welche in dieser Novelle, die Hofmannsthal mit gutem
Grund in seine Musteranthologie ›Deutsche Erzähler‹ auf-
nahm, sich herstellt: daß keine Naturkatastrophe der Natur
der Menschen Einhalt zu gebieten vermag, wenn diese – von

einem ›klösterlichen Gesetz‹ bestimmt, auf dessen Einhaltung alle ›Matronen und Jungfrauen von St. Jago‹ drängen – zur Masse sich formieren.

Das Selbstgefühl der Kleistschen Novellenfiguren bricht sich an gesellschaftlicher Herrschaft, sei diese nun unmittelbar, sei sie durch Einzelne vermittelt. Gesellschaft erscheint allemal als ein Fremdes, Undurchschautes und Undurchschaubares, das die Menschen nicht zu beherrschen vermögen. In vier von den acht Novellen, die Kleist schrieb, findet der Widerstand der empirischen Welt sich ins Irreale verlegt. Nichts hat diese Sphäre des Mystisch-Wunderbaren allerdings mit jenem Irrationalen gemein, wie es von den Romantikern als freies Spiel der Einbildungskraft gepflegt wurde. Wo immer Kleist die Wirklichkeit verläßt, registriert er *deren* Irrationalität, ihr Opakes, durch das sie direkter Erfahrung entzogen ist. Für Kleist stehen die isolierten Ereignisse in keinem heils- oder weltgeschichtlichen Zusammenhang, der ihre Ordnung – und den Menschen einen Platz in solcher Ordnung – gewährleisten würde.«

Heinrich von Kleist: Erzählungen. Mit einem Nachwort von Rolf Tiedemann. Frankfurt a. M.: Insel-Verlag, 1977. S. 301–303. © Insel Verlag, Frankfurt am Main.

5. Die Verfilmung von Helma Sanders

Als Indiz für die Modernität von Kleists Prosa mag auch gelten, daß fast alle Erzählungen Kleists in den letzten Jahren von angesehenen und avantgardistischen Filmregisseuren verfilmt worden sind. Volker Schlöndorff hat den »Kohlhaas« verfilmt (»Kohlhaas, der Rebell«, 1968), George Moorse den »Findling« (1966), Hans Joachim Syberberg »Die Verlobung in St. Domingo« (»San Domingo«, 1970), Eric Rohmer »Die Marquise von O...« (1975) und Helma Sanders in den Jahren 1974–75 »Das Erdbeben in Chili«. Zwei Jahre später, zum Gedenkjahr 1977, hat Helma Sanders-Brahms einen weiteren Film über Kleists Biographie

*Standfoto aus Helma Sanders Film »Das Erdbeben in Chili«
(1974/75): Vor der Hinrichtung.*

gedreht – unter dem Titel »Heinrich« (1977, Textbuch: München 1980). Helma Sanders' Interesse war auch schon bei der Verfilmung des »Erdbebens« vorrangig auf Kleists Biographie gerichtet, wie ihrem folgenden Bericht über die Produktion des Films zu entnehmen ist. Der Film, der mehrfach gründlich analysiert worden ist (vgl. die Arbeiten von Hickethier und Braun), entstand als Auftragsproduktion des Zweiten Deutschen Fernsehens und ist in Spanien gedreht worden. HELMA SANDERS (geb. 1940):

»Ich kam nach Spanien mit Bildern von Caspar David Friedrich im Kopf, mit Kleist, Kleist, Kleist, Preußen, Todessehnsucht, Rousseau, Kant: Alles in drei Wochen Krankenhaus frisch aufgearbeitet, was ich mir in zwei Jahren Arbeit am Drehbuch angelesen hatte, – in dieses Kino-Spanien, in diese

Provinz Hollywoods, das hier in der Hauptstadt Philipps II. schattenhaft überlebt.

Ich kam nach Spanien als Regisseur und als Frau, was sich als schwer lösbarer Widerspruch herausstellte.

Der deutsche Intellektualismus wurde mir schnell ausgetrieben: von der Landschaft, den Gesichtern der Schauspieler, den Kostümen, der Architektur, denen ich Kleists Preußen und Caspar David Friedrichs abgewandte Figuren nicht aufzwingen konnte, die sich aber mit dem melodramatischen Schwung der Kleist-Novelle vertrugen. Da konnte man nur ganz naives Kino machen, mit richtigen handfesten Menschen, die sich nicht als Kommentarsprachrohre verbuttern ließen, weil ihre Gesten, ihre Gesichter, ihre Art, eine Rolle anzugehen, das nicht zuließen – Kino mit klaren, einfachen Bildern, mit wenig Sprache, fast stummfilmhaft.

[...] Nun ist ein Film entstanden, den vielleicht auch Kinder verstehen werden, mit einem Kinoerdbeben – eher befreiend als entsetzlich.

Von der Jeronimo-Figur, die ich mir eigentlich als Projektion Kleists von sich selbst gedacht hatte – töte ich mich, töte ich mich nicht? –, ist nicht mehr viel übrig geblieben. Tja, wenn Bruno Ganz das gespielt hätte! Diese überaus deutschen Konflikte lassen sich schwer in einen spanischen Schauspieler hineintragen, der Situationen spielen will und nicht die Innenwelt der Außenwelt. [...]

Es gab wenig Zeit für den Film: 24 Drehtage. Das hat oft zu Konflikten geführt, ebenso die Tatsache, daß ich als Frau einen Beruf habe, der in Spanien männlichen Göttern zukommt, und das obendrein mit einem belasteten Verhältnis zur Autorität ihrer Ausübung.

Warum ich überhaupt in Spanien gedreht habe? Eben wegen der Gesichter, wegen der Landschaft, wegen dieser Möglichkeit, naives Kino zu machen. Und auch, weil der Film in Deutschland einfach zu teuer geworden wäre.«

Helma Sanders. In: Das Fernsehspiel im ZDF.
H. 8. 1975. S. 23–25.

V. Texte zur Diskussion

1. Die Dialektik des Opfers in Mythos und Aufklärung

KLEIST über die Dialektik der Aufklärung. Brief an Wilhelmine von Zenge, Paris, 15. August 1801:

»O wie unbegreiflich ist der Wille, der über die Menschengattung waltet! Ohne Wissenschaft zittern wir vor jeder Lufterscheinung, unser Leben ist jedem Raubtier ausgesetzt, eine Giftpflanze kann uns töten – und sobald wir in das Reich des Wissens treten, sobald wir unsre Kenntnisse anwenden, uns zu sichern und zu schützen, gleich ist der erste Schritt zu dem Luxus und mit ihm zu allen Lastern der Sinnlichkeit getan. Denn wenn wir zum Beispiel die Wissenschaften nutzen, uns vor dem Genuß giftiger Pflanzen zu hüten, warum sollen wir sie nicht auch nutzen, wohlschmeckende zu sammeln, und wo ist nun die Grenze hinter welcher die Poulets à la suprême und alle diese Raffinements der französischen Kochkunst liegen? Und doch – gesetzt, Rousseau hätte in der Beantwortung der Frage, ob die Wissenschaften den Menschen glücklicher gemacht haben, recht, wenn er sie mit *Nein* beantwortet, welche seltsamen Widersprüche würden aus dieser Wahrheit folgen! Denn es mußten viele Jahrtausende vergehen, ehe so viele Kenntnisse gesammelt werden konnten, wie nötig waren, einzusehen, daß man keine haben müßte. Nun also müßte man alle Kenntnisse vergessen, den Fehler wieder gut zu machen; und somit finge das Elend wieder von vorn an. Denn der Mensch hat ein unwidersprechliches Bedürfnis sich aufzuklären. Ohne Aufklärung ist er nicht viel mehr als ein Tier. Sein moralisches Bedürfnis treibt ihn zu den Wissenschaften an, wenn dies auch kein physisches täte. Er wäre also, wie Ixion, verdammt, ein Rad auf einen Berg zu wälzen, das halb erhoben, immer wieder in den Abgrund stürzt. Auch ist immer Licht, wo Schatten ist, und umgekehrt. Wenn die Unwissenheit unsre Einfalt, unsre Unschuld und alle

Genüsse der friedlichen Natur sichert, so öffnet sie dagegen allen Greueln des Aberglaubens die Tore – Wenn dagegen die Wissenschaften uns in das Labyrinth des Luxus führen, so schützen sie uns vor allen Greueln des Aberglaubens. Jede reicht uns Tugenden und Laster, und wir mögen am Ende aufgeklärt oder unwissend sein, so haben wir dabei so viel verloren, als gewonnen. – Und so mögen wir denn vielleicht am Ende tun, was wir wollen, wir tun recht – Ja, wahrlich, wenn man überlegt, daß wir ein Leben bedürfen, um zu lernen, wie wir leben müßten, daß wir selbst im Tode noch nicht ahnden, was der Himmel mit uns will, wenn niemand den Zweck seines Daseins und seine Bestimmung kennt, wenn die menschliche Vernunft nicht hinreicht, sich und die Seele und das Leben und die Dinge um sich zu begreifen, wenn man seit Jahrtausenden noch zweifelt, ob es ein *Recht* gibt – – kann Gott von solchen Wesen *Verantwortlichkeit* fordern? Man sage nicht, daß eine Stimme im Innern uns heimlich und deutlich anvertraue, was recht sei. Dieselbe Stimme, die dem Christen zuruft, seinem Feinde zu vergeben, ruft dem Seeländer zu, ihn zu braten, und mit Andacht ißt er ihn auf –«

SW II, 682 f.

Max Horkheimer und Theodor W. Adorno im ersten Exkurs »Odysseus oder Mythos und Aufklärung« ihrer 1947 zuerst erschienenen »Dialektik der Aufklärung«:

»Solange Einzelne geopfert werden, solange das Opfer den Gegensatz von Kollektiv und Individuum einbegreift, solange ist objektiv der Betrug am Opfer mitgesetzt. Bedeutet der Glaube an die Stellvertretung durchs Opfer die Erinnerung an das nicht Ursprüngliche, Herrschaftsgeschichtliche am Selbst, so wird er zugleich dem ausgebildeten Selbst gegenüber zur Unwahrheit: das Selbst ist gerade der Mensch, dem nicht mehr magische Kraft der Stellvertretung zugetraut wird. Die Konstitution des Selbst durchschneidet eben jenen fluktuierenden Zusammenhang mit der Natur, den das Opfer des Selbst herzustellen beansprucht. Jedes Opfer ist eine

Restauration, die von der geschichtlichen Realität Lügen gestraft wird, in der man sie unternimmt. Der ehrwürdige Glaube ans Opfer aber ist wahrscheinlich bereits ein eingedrilltes Schema, nach welchem die Unterworfenen das ihnen angetane Unrecht sich selber nochmals antun, um es ertragen zu können. Es rettet nicht durch stellvertretende Rückgabe die unmittelbare, nur eben unterbrochene Kommunikation, welche die heutigen Mythologen ihm zuschreiben, sondern die Institution des Opfers selber ist das Mal einer historischen Katastrophe, ein Akt von Gewalt, der Menschen und Natur gleichermaßen widerfährt. Die List ist nichts anderes als die subjektive Entfaltung solcher objektiven Unwahrheit des Opfers, das sie ablöst. Vielleicht ist jene Unwahrheit nicht stets nur Unwahrheit gewesen. Auf einer Stufe[1] der Vorzeit mögen die Opfer eine Art blutige Rationalität besessen haben, die freilich schon damals kaum von der Gier des Privilegs zu trennen war. Die heute vorherrschende Theorie des Opfers bezieht es auf die Vorstellung des Kollektivleibs, des Stammes, in den das vergossene Blut des Stammesmitglieds als Kraft zurückströmen soll. Während der Totemismus schon zu seiner Zeit Ideologie war, markiert er doch einen realen Zustand, wo die herrschende Vernunft der Opfer bedurfte. Es ist ein Zustand archaischen Mangels, in dem Menschenopfer und Kannibalismus kaum sich scheiden lassen. Das numerisch angewachsene Kollektiv kann zuzeiten sich am Leben erhalten nur durch den Genuß von Menschenfleisch; vielleicht war die Lust mancher ethnischer oder sozialer Gruppen in einer Weise dem Kannibalismus verbunden, von der nur der Abscheu vorm Menschenfleisch heute Zeug-

---

1 Schwerlich auf der ältesten. ›Die Sitte des Menschenopfers . . . ist unter Barbaren und halbzivilisierten Völkern viel verbreiteter als unter echten Wilden, und auf den niedrigsten Kulturstufen kennt man sie überhaupt kaum. Es ist beobachtet worden, daß sie bei manchen Völkern im Laufe der Zeit immer mehr überhandgenommen hat‹, auf den Gesellschaftsinseln, in Polynesien, in Indien, bei den Azteken. ›Bezüglich der Afrikaner sagt Winwood Reade: „Je mächtiger die Nation, desto bedeutender die Opfer".‹ (Eduard Westermarck, Ursprung und Entwicklung der Moralbegriffe. Leipzig 1913. Band I. S. 363.)

nis ablegt. Gebräuche aus späterer Zeit wie der des ver
sacrum, wo in Zeiten des Hungers ein ganzer Jahrgang von
Jünglingen unter rituellen Veranstaltungen zur Auswande-
rung gezwungen wird, bewahren deutlich genug die Züge
solcher barbarischen und verklärten Rationalität. Längst vor
Ausbildung der mythischen Volksreligionen muß sie als illu-
sorisch sich enthüllt haben: wie die systematische Jagd dem
Stamm genug Tiere zutrieb, um das Verzehren der Stammes-
mitglieder überflüssig zu machen, müssen die gewitzigten
Jäger und Fallensteller irre geworden sein am Gebot der
Medizinmänner, jene müßten sich verspeisen lassen[2]. Die
magisch kollektive Interpretation des Opfers, die dessen
Rationalität ganz verleugnet, ist seine Rationalisierung; die
geradlinig aufgeklärte Annahme aber, es könne, was heute
Ideologie sei, einmal die Wahrheit gewesen sein, zu harmlos[3]:
die neuesten Ideologien sind nur Reprisen der ältesten, die
hinter die vorher bekannten um ebensoviel zurückgreifen,
wie die Entwicklung der Klassengesellschaft die zuvor sank-
tionierten Ideologien Lügen straft. Die vielberufene Irrationalität des Opfers ist nichts anderes als der Ausdruck dafür,
daß die Praxis der Opfer länger währte als ihre selber schon

2 Bei kannibalischen Völkern wie denen Westafrikas durften ›weder Weiber
  noch Jünglinge . . . von der Delikatesse genießen.‹ (Westermarck a. a. O.
  Leipzig 1909. Band II. S. 459.)
3 Wilamowitz setzt den nus in ›scharfen Gegensatz‹ zum logos. (Glaube der
  Hellenen. Berlin 1931. Band I. S. 41 f.) Der Mythos ist ihm eine ›Geschichte,
  wie man sie sich erzählt‹, Kinderfabel, Unwahrheit, oder, ungeschieden davon, die unbeweisbare oberste Wahrheit wie bei Platon. Während Wilamowitz des Scheincharakters der Mythen sich bewußt ist, setzt er sie der Dichtung gleich. Mit anderen Worten: er sucht sie erst in der signifikativen Sprache, die zu ihrer Intention bereits in einen objektiven Widerspruch getreten
  ist, den sie als Dichtung zu versöhnen trachtet: ›Mythos ist zuerst die gespro-
  chene Rede, ihren Inhalt geht das Wort niemals an.‹ (A. a. O.) Indem er diesen
  späten Begriff des Mythos hypostasiert, der Vernunft als sein explizites Wi-
  derspiel bereits vorausgesetzt, gelangt er – in unausdrücklicher Polemik gegen
  Bachofen, den er als Mode verhöhnt, ohne doch den Namen zu nennen – zur
  bündigen Scheidung von Mythologie und Religion (a. a. O. S. 5.), bei der
  Mythos nicht als die ältere, sondern gerade die jüngere Stufe erscheint: ›Ich
  mache den Versucht, das Werden, die Wandlungen und das Übergehen aus
  dem Glauben in den Mythos . . . zu verfolgen.‹ (A. a. O. S. 1.) Der verstockt
  departementale Hochmut des Graecisten verwehrt ihm die Einsicht in die

unwahre, nämlich partikulare rationale Notwendigkeit. Es ist dieser Spalt zwischen Rationalität und Irrationalität des Opfers, den die List als Griff benutzt. Alle Entmythologisierung hat die Form der unaufhaltsamen Erfahrung von der Vergeblichkeit und Überflüssigkeit von Opfern.

Erweist das Prinzip des Opfers um seiner Irrationalität willen sich als vergänglich, so besteht es zugleich fort kraft seiner Rationalität. Diese hat sich gewandelt, sie ist nicht verschwunden. Das Selbst trotzt der Auflösung in blinde Natur sich ab, deren Anspruch das Opfer stets wieder anmeldet. Aber es bleibt dabei gerade dem Zusammenhang des Natürlichen verhaftet, Lebendiges, das gegen Lebendiges sich behaupten möchte. Die Abdingung des Opfers durch selbsterhaltende Rationalität ist Tausch nicht weniger, als das Opfer es war. Das identisch beharrende Selbst, das in der Überwindung des Opfers entspringt, ist unmittelbar doch wieder ein hartes, steinern festgehaltenes Opferritual, das der Mensch, indem er dem Naturzusammenhang sein Bewußtsein entgegensetzt, sich selber zelebriert. Soviel ist wahr an der berühmten Erzählung der nordischen Mythologie, derzufolge Odin als Opfer für sich selbst am Baum hing, und an

Dialektik von Mythos, Religion und Aufklärung: ›Ich verstehe die Sprachen nicht, aus denen die zurzeit beliebten Wörter, Tabu und Totem, Mana und Orenda, entlehnt sind, halte es aber auch für einen zulässigen Weg, mich an die Griechen zu halten und über Griechisches griechisch zu denken.‹ (A. a. O. S. 10) Wie damit, nämlich der unvermittelten Meinung, ›im ältesten Hellenentum lag der Keim der platonischen Gottheit‹, die von Kirchhoff vertretene und von Wilamowitz übernommene historische Ansicht vereinbar sein soll, die gerade in den mythischen Begegnungen des Nostos den ältesten Kern des odysseischen Buches erblickt, bleibt unausgemacht, wie denn der zentrale Begriff des Mythos selber bei Wilamowitz der zureichenden philosophischen Artikulation enträt. Dennoch ist in seinem Widerstand gegen den Irrationalismus, der den Mythos verhimmelt, und in seiner Insistenz auf der Unwahrheit der Mythen große Einsicht unverkennbar. Der Widerwille gegen primitives Denken und Vorgeschichte läßt um so deutlicher die Spannung hervortreten, die zwischen dem trugvollen Wort und der Wahrheit stets schon bestand. Was Wilamowitz den späteren Mythen vorwirft, die Willkür der Erfindung, muß in den ältesten bereits vermöge des Pseudos der Opfer enthalten gewesen sein. Dies Pseudos ist gerade jener platonischen Gottheit verwandt, die Wilamowitz aufs archaische Hellenentum zurückdatiert.

der These von Klages, daß jegliches Opfer das des Gottes an den Gott sei, wie es noch in der monotheistischen Verkleidung des Mythos, der Christologie, sich darstellt[4]. Nur daß die Schicht der Mythologie, in welcher das Selbst als das Opfer an sich selbst erscheint, nicht sowohl die ursprüngliche Konzeption der Volksreligion ausdrückt, als vielmehr die Aufnahme des Mythos in die Zivilisation. In der Klassengeschichte schloß die Feindschaft des Selbst gegens Opfer ein Opfer des Selbst ein, weil sie mit der Verleugnung der Natur im Menschen bezahlt ward um der Herrschaft über die außermenschliche Natur und über andere Menschen willen. Eben diese Verleugnung, der Kern aller zivilisatorischen Rationalität, ist die Zelle der fortwuchernden mythischen Irrationalität: mit der Verleugnung der Natur im Menschen wird nicht bloß das Telos der auswendigen Naturbeherrschung sondern das Telos des eigenen Lebens verwirrt und undurchsichtig. In dem Augenblick, in dem der Mensch das Bewußtsein seiner selbst als Natur sich abschneidet, werden alle die Zwecke, für die er sich am Leben erhält, der gesellschaftliche Fortschritt, die Steigerung aller materiellen und geistigen Kräfte, ja Bewußtsein selber, nichtig, und die Inthronisierung des Mittels als Zweck, die im späten Kapitalismus den Charakter des offenen Wahnsinns annimmt, ist schon in der Urgeschichte der Subjektivität wahrnehmbar. Die Herrschaft des Menschen über sich selbst, die sein Selbst begründet, ist virtuell allemal die Vernichtung des Subjekts, in dessen Dienst sie geschieht, denn die beherrschte, unterdrückte und durch Selbsterhaltung aufgelöste Substanz ist gar nichts anderes als das Lebendige, als dessen Funktion die Leistungen der Selbsterhaltung einzig sich bestimmen, eigentlich gerade das, was erhalten werden soll. Die Widervernunft des totalitären Kapitalismus, dessen Technik, Bedürfnisse zu befriedigen, in ihrer vergegenständlichten, von Herrschaft determinierten Gestalt die Befriedigung der Bedürfnisse unmöglich macht und zur Ausrottung der Menschen treibt – diese Widerver-

---

4 Die Auffassung des Christentums als heidnischer Opferreligion liegt wesentlich Werner Hegemanns ›Gerettetem Christus‹ (Potsdam 1928) zugrunde.

nunft ist prototypisch im Heros ausgebildet, der dem Opfer
sich entzieht, indem er sich opfert. Die Geschichte der Zivilisation ist die Geschichte der Introversion des Opfers. Mit
anderen Worten: die Geschichte der Entsagung. Jeder Entsagende gibt mehr von seinem Leben als ihm zurückgegeben
wird, mehr als das Leben, das er verteidigt. Das entfaltet sich
im Zusammenhang der falschen Gesellschaft. In ihr ist jeder
zu viel und wird betrogen. Aber es ist die gesellschaftliche
Not, daß der, welcher dem universalen, ungleichen und
ungerechten Tausch sich entziehen, nicht entsagen, sogleich
das ungeschmälerte Ganze ergreifen würde, eben damit alles
verlöre, noch den kargen Rest, den Selbsterhaltung ihm
gewährt. Es bedarf all der überflüssigen Opfer: gegen das
Opfer. Auch Odysseus ist eines, das Selbst, das immerzu sich
bezwingt[5] und darüber das Leben versäumt, das es rettet und
bloß noch als Irrfahrt erinnert. Dennoch ist er zugleich Opfer
für die Abschaffung des Opfers. Seine herrschaftliche Entsa-

---

5 So etwa, wenn er davon absteht, den Polyphem sogleich zu töten (IX, 302);
wenn er die Mißhandlung des Antinoos über sich ergehen läßt, um sich nicht
zu verraten (XVII, 460 ff.). Vergleiche weiter die Episode mit den Winden (X,
50 ff.) und die Prophezeiung des Teiresias in der ersten Nekyia (XI, 105 ff.),
die die Heimkehr von der Bändigung des Herzens abhängig macht. Freilich
hat der Verzicht des Odysseus noch nicht den Charakter des Definitiven,
sondern lediglich den des Aufschubs: die Rachetaten, die er sich verwehrt,
verübt er meist später um so gründlicher: der Dulder ist der Geduldige. In
seinem Verhalten liegt noch einigermaßen offen, als naturwüchsiger Zweck,
zutage, was später in der totalen, imperativischen Entsagung sich versteckt,
um damit erst unwiderstehliche Gewalt anzunehmen, die der Unterjochung
alles Natürlichen. Mit der Verlegung ins Subjekt, der Emanzipation vom
mythisch vorgegebenen Inhalt, wird solche Unterjochung ›objektiv‹, dinghaft
selbständig gegenüber jedem besonderen Zweck des Menschen, sie wird zum
allgemeinen rationalen Gesetz. Schon in der Geduld des Odysseus, deutlich
nach dem Freiermord geht die Rache in die juridische Prozedur über: gerade
die endliche Erfüllung des mythischen Dranges wird zum sachlichen Instru-
ment der Herrschaft. Recht ist die entsagende Rache. Indem jedoch solche
richterliche Geduld an einem außerhalb ihrer selbst Liegenden, der Sehnsucht
nach der Heimat sich bildet, gewinnt sie die Züge des Menschlichen, fast des
Vertrauenden, die über die je verschobene Rache hinausweisen. In der entfal-
teten bürgerlichen Gesellschaft dann wird beides kassiert: mit dem Gedanken
an Rache verfällt auch die Sehnsucht dem Tabu, und das eben ist die Inthronisierung der Rache, vermittelt als Rache des Selbst an sich.

gung, als Kampf mit dem Mythos, ist stellvertretend für eine Gesellschaft, die der Entsagung und der Herrschaft nicht mehr bedarf: die ihrer selbst mächtig wird, nicht um sich und andern Gewalt anzutun, sondern zur Versöhnung.«

Max Horkheimer / Theodor W. Adorno: Dialektik der Aufklärung. Philosophische Fragmente. Frankfurt a. M.: S. Fischer, [11]1984. (Fischer Taschenbuch. 6144.) S. 48–52. © S. Fischer Verlag, Frankfurt am Main.

2. Chile heute – Erdbeben und andere Erschütterungen

Kirchenmauern stürzten auf die Menschen

Fast 100 Tote und 1500 Verletzte bei Erdbeben in Chile / Katastrophe dauerte vier Minuten

SANTIAGO, 4. März (Reuter). Bei einem starken Erdbeben in Chile sind nach Angaben von Staatschef General Augusto Pinochet fast 100 Menschen ums Leben gekommen und fast 1500 verletzt worden. Nach einer Sondersitzung des Kabinetts forderte Pinochet am Montag in einer vom Fernsehen übertragenen Rede die Bevölkerung auf, Ruhe zu bewahren. Nach einem Bericht des Innenministeriums wurden bei der Naturkatastrophe am Sonntagabend 89 Menschen getötet und 1449 verletzt. Drei Personen wurden vermißt. Die erste Welle des vierminütigen Bebens hatte gegen 19.50 Ortszeit (23.50 Uhr MEZ) vor allem die Städte Santiago und Valparaiso erschüttert.

Nach seiner Ansprache begutachtete Pinochet bei einem Besuch der betroffenen Gebiete in Mittelchile das Ausmaß des Schadens. Örtliche Rundfunkanstalten berichteten von über 2000 Verletzten und zahlreichen Obdachlosen. Nach Angaben der Polizei und des Amtes für Katastrophenschutz kamen allein in der Hauptstadt Santiago 53 Personen ums Leben. Hunderte von alten Häusern seien eingestürzt. Mindestens acht Menschen wurden beim Zelebrieren von Abend-

messen in zwei Kirchen in Valparaiso und San Berums von
einstürzendem Mauerwerk erschlagen. Das Seismologische
Institut der Universität Chile lokalisierte das Epizentrum des
Bebens in einer 41,6 Kilometer vor der Küste gelegenen Mee-
reszone vor dem Badeort Algarobo südlich von Valparaiso.
Ausläufer waren nach Berichten aus Argentinien noch im
1300 Kilometer vom Epizentrum entfernten Buenos Aires zu
spüren. Die Stärke des Hauptbebens wurde mit 7,8 Punkten
auf der zwölfteiligen Mercalli-Skala angegeben.
Noch drei Stunden nach dem Hauptbeben wurde Santiago
von Nachwellen erschüttert. Die Stromversorgung war für
Stunden unterbrochen. Die Verkehrsverbindungen nach Valparaiso brachen zusammen, als mehrere Brücken einstürzten.
Lastwagen mit bewaffneten Soldaten patrouillierten in den
dunklen Straßen der Hauptstadt, um Plünderungen zu verhindern. Tausende von Familien mußten wegen der Gebäu-
deschäden die Nacht im Freien verbringen.
Das Dach des Abflugterminals des Flughafens von Santiago
brach vollständig zusammen. Der Erzbischof von Santiago,
Juan Francisco Fresno, entging nach eigenen Angaben nur
knapp dem Tode, als große Glasscherben während eines Got-
tesdienstes neben ihm auf den Boden fielen. Präsident Pinochet und sein Kabinett brachen einen Besuch in dem 2300
Kilometer weiter südlich gelegenen Punta Arenas ab und flo-
gen nach Santiago zurück. In den letzten Monaten hatte es in
Chile mehrere Erdbeben gegeben, bei denen jedoch keine
vergleichbaren Schäden angerichtet worden waren.
Das letzte größere Erdbeben erschütterte Chile 1971. Damals
starben 85 Menschen, 20 000 wurden obdachlos. Das bisher
schwerste Erdbeben des Landes kostete 1939 rund 30 000
Menschen das Leben.

Frankfurter Rundschau. 5. 3. 1985.

Verschleppt und ermordet

SANTIAGO, 1. April (AP). Mit Knüppeln und Wasserwerfern trieb die Polizei am Sonntag in Santiago mehrere hundert Demonstranten auseinander, die gegen die Ermordung dreier Menschen protestierten. Demonstranten flüchteten in die Kathedrale, woraufhin Erzbischof Juan Francisco Fresno, der sich voller Abscheu über die Verbrechen geäußert hatte, seine Predigt vorzeitig beendete. Die Opposition lastet die Morde der Geheimpolizei des Militärregimes an. Die Opfer, ein Lehrer, ein Soziologe und ein Maler, alle Regimegegner, waren am Freitag entführt und einen Tag später in der Umgebung des Flughafens der chilenischen Hauptstadt von einem Landarbeiter tot aufgefunden worden. Der Mann berichtete: »Alle drei waren durch tiefe Schnitte entsetzlich am Hals aufgeschlitzt.«
Die oppositionelle Christlich-Demokratische Partei vertrat die Ansicht, die Verbrechen könnten praktisch nur unter Mitwirkung der Geheimpolizei oder ihr nahestehender Personen verübt worden sein.

Frankfurter Rundschau. 2. 4. 1985.

Chiles Bischöfe rufen zu Versöhnung auf

wop. SANTIAGO, 2. April. Die katholischen Bischöfe Chiles haben die Militärregierung unter Staatspräsident Pinochet und die Politiker des Landes ersucht, »dringliche Entscheidungen zu treffen und für Gerechtigkeit und Frieden zu arbeiten«. Nur dann sei es möglich, die Gewalt zu überwinden, die in den vergangenen Tagen eine Vielzahl von Menschenleben gefordert habe, heißt es in einer Erklärung, die der Erzbischof von Santiago, Fresno, im Anschluß an eine Sondersitzung der Bischofskonferenz vor Journalisten verlas. Fresno fügte hinzu, es sei ebenso erforderlich, sich für die Wiederherstellung der Demokratie einzusetzen, denn sie verhelfe dazu, das friedliche Zusammenleben der Chilenen zu ermöglichen. Auf Antrag der Kirche und der Regierung hat unterdessen der Oberste Gerichtshof einen Untersuchungs-

richter zur Aufklärung drei politisch motivierter Morde und
mehrerer vorübergehender Entführungen von Regimegeg-
nern eingesetzt. Innenminister García sicherte die Mitar-
beit der Regierung und der Sicherheitsbehörden bei den
gerichtlichen Untersuchungen zu. Er bekräftigte, die Regierung wünsche eine schnelle und vollständige Aufklärung der
»verabscheuungswürdigen Verbrechen« und die Verurteilung der Täter. Die Verbrecher seien in »feigen anonymen
Gruppen zu suchen, die Verwirrung stiften wollen«, sagte
García.

Frankfurter Allgemeine Zeitung. 3. 4. 1985.

Entsetzen in Chile

wop. SANTIAGO, 2. April
Nach einer Serie schwerer Bombenattentate, bei denen in den
letzten Tagen zwei Soldaten ums Leben gekommen und 15
Zivilisten verletzt worden waren, und nach Feuergefechten,
bei denen die Polizei drei mutmaßliche Terroristen erschos-
sen hatte, haben jetzt drei offenbar politisch motivierte
Morde und mehrere Entführungen linksgerichteter Opposi-
tioneller die chilenische Bevölkerung noch mehr verängstigt.
An Spekulationen über die Urheber der Verbrechen mangelt
es nicht. Wem nützt diese Kriminalität? So fragen sich entsetzt viele Chilenen. Stehen hinter der neuen Welle der
Gewalt rechtsextreme Fanatiker, denen Ausnahmezustand,
Pressezensur und das Verbot parteipolitischer Aktivitäten
nicht genügen? Sind die Täter etwa im Umkreis der staatli-
chen Sicherheitsorgane zu suchen, weil dem Militärregime
mit Gewalt Rechtfertigungsgründe für ein schärferes Durch-
greifen geliefert werden sollen? Oder will der linksextreme
Untergrund eine weitere Verhärtung der Diktatur provozieren, um Polarisierung und Konfrontation auf die Spitze zu
treiben? Die katholische Kirche hat abermals eindringlich vor
dem »Wahnsinn der Gewalt und Rache« gewarnt. Die meisten Chilenen wünschen, daß die Kirche endlich Gehör
findet.

Frankfurter Allgemeine Zeitung. 3. 4. 1985.

VI. Literaturhinweise

1. Texte und Dokumente

Jeronimo und Josephe. Eine Scene aus dem Erdbeben zu Chili, vom Jahr 1647. In: Morgenblatt für gebildete Stände. Tübingen: Cotta, 10.–15. September 1807 (Nr. 217–221). [Erstdr.].

Erzählungen. Von Heinrich von Kleist. Berlin: in der Realschulbuchhandlung, 1810. [»Das Erdbeben in Chili« S. 307–344.]

Heinrich von Kleists gesammelte Schriften. Hrsg. von Ludwig Tieck. 3 Tle. Berlin: Reimer, 1826. [»Das Erdbeben in Chili« in Tl. 3.]

H. v. Kleists Werke. Im Verein mit Georg Minde-Pouet u. Reinhold Steig hrsg. von Erich Schmidt. 5 Bde. Leipzig/Wien: Bibliographisches Institut, [1904–05]. [Text des »Erdbebens in Chili« in Bd. 3, Varianten in Bd. 4.]

Heinrich von Kleist: Sämtliche Werke und Briefe. Hrsg. von Helmut Sembdner. 2 Bde. 5., verm. u. revid. Aufl. München: Hanser, 1970. [Zit. als: SW Bd., S.]

Heinrich von Kleist: Werke und Briefe. Hrsg. von Siegfried Streller. 4 Bde. Berlin/Weimar: Aufbau-Verlag, 1978. [»Das Erdbeben in Chili« in Bd. 3.]

Heinrich von Kleists Lebensspuren. Dokumente und Berichte der Zeitgenossen. Hrsg. von Helmut Sembdner. Überarb. und erw. Ausgabe. München: Deutscher Taschenbuch-Verlag, 1969. (dtv Gesamtausgabe. 8.) [Zit. als: Lebensspuren.]

Heinrich von Kleists Nachruhm. Eine Wirkungsgeschichte in Dokumenten. Hrsg. von Helmut Sembdner. Bremen: Schünemann, 1967. [Zit. als: Nachruhm.]

Helmut Schanze: Index zu Heinrich von Kleist: Sämtliche Erzählungen, Erzählvarianten, Anekdoten. Frankfurt a. M. / Bonn: Athenäum-Verlag, 1969.
– Index zu Heinrich von Kleist: Kleine Schriften. Frankfurt a. M. / Bonn: Athenäum-Verlag, 1970.
– Index zu Heinrich von Kleist: Sämtliche Dramen und Dramenvarianten. Nendeln: KTO Press, 1978.

2. Literatur über Chile und das Erdbeben von Santiago 1647

a) Quellen

Gaspar de Villarroel: Relación del terremoto que assoló la ciudad de Santiago de Chili. In: G. d. V.: Govierno eclesiastico pacifico, y union de los dos cuchillos, pontifico, y regio. 2 Tle. 2. Aufl. Madrid 1738. Tl. 2. S. 572–589. – Erstausg.: Madrid 1656–57.

Hrn. [Amédée François] Frezier: Allerneueste Reise nach der Süd-See und denen Küsten von Chili, Peru und Brasilien. Aus dem Frantzösischen übersetzet. Hamburg: Thomas von Wierings Erben, 1718. – Franz. Originalausg.: Relation du voyage de la mer du sud aux cotes du Chily et du Perou, fait pendant les années 1712, 1713 & 1714. Paris 1716.

Des Herrn Abts [Felipe Gomez de] Vidaur[r]e Kurtz gefaßte geographische, natürliche und bürgerliche Geschichte des Königreichs Chile, aus dem Italienischen ins Deutsche übersetzt von C. J. Jagemann. Hamburg: C. E. Bohn, 1782.

J. Ignatz [Giovanni Ignazio] Molina: Versuch einer Naturgeschichte von Chili. Aus dem Italiänischen übersetzt von J. D. Brandis. Leipzig: Friedrich Gotthold Jacobäer 1786. – Ital. Originalausgabe: Saggio sulla storia naturale del Chili. Bologna 1782.

b) Darstellungen

Miguel Luis Amunátegui: El terremoto del 13 de mayo de 1647. Santiago de Chile 1882.

J. Conchali [d. i. Daniel Riquelme]: El Terremoto del Senor de Mayo. Santiago de Chile 1905.

J. M. Gilliss: Chile. Its Geography, Climate, Earthquakes [...]. Washington 1855.

Friedrich Goll: Die Erdbeben Chiles. Ein Verzeichnis der Erdbeben und Vulkanausbrüche in Chile bis zum Ende des Jahres 1879 [...]. München 1904. (Münchener Geographische Studien. 14.)

Cinna Lomnitz: Major Earthquakes and tsumamis in Chile during 1535 to 1955. In: Geologische Rundschau 59 (1970) S. 938–960.

Patricio Manns: Los terremotos chilenos. 2 Bde. Santiago de Chile 1972.

Alexis Perrey: Documents relatifs aux tremblements de terre au Chili. In: Annales des sciences physiques et naturelles, d'agriculture et d'industrie. 2. Serie. 6 (1854) S. 248 ff.

Literatur über das Erdbeben in Lissabon vgl. Kap. II,2.

3. Untersuchungen

Aldridge, Alfred Owen: The Background of Kleist's *Das Erdbeben in Chili*. In: Arcadia 3 (1968) S. 173–180.

Beckmann, Beat: Kleists Bewußtseinskritik. Eine Untersuchung der Erzählformen seiner Novellen. Bern/Frankfurt a. M./Las Vegas 1978. S. 58–65.

Blankenagel, John C.: Heinrich von Kleist: Das Erdbeben in Chili. In: Germanic Review 8 (1933) S. 30–39.

Blöcker, Günter: Heinrich von Kleist oder Das absolute Ich. Berlin 1960. [Taschenbuchausgabe:] Frankfurt a. M. 1977.

Bourke, Thomas E.: Vorsehung und Katastrophe. Voltaires *Poème sur le désastre de Lisbonne* und Kleists *Erdbeben in Chili*. In: Klassik und Moderne. Walter Müller-Seidel zum 65. Geburtstag. Hrsg. von Karl Richter und Jörg Schönert. Stuttgart 1983. S. 228–253.

Brahm, Otto: Das Leben Heinrichs von Kleist. Neue Ausg. Berlin 1911 [zuerst 1884]. S. 190–200.

Braig, Friedrich: Heinrich von Kleist. München 1925. S. 439–449.

Braun, Stefan: Heinrich von Kleist / Helma Sanders: Das Erdbeben in Chili. Eine vergleichende Analyse der Erzähleingänge von Film und Novelle. In:

Erzählstrukturen – Filmstrukturen. Erzählungen Heinrich von Kleists und ihre filmische Realisation. Hrsg. von Klaus Kanzog. Berlin 1981. S. 59–89.

Brun, Jacques: Das Grenzverletzungsmotiv in Kleists Erzählungen. In: Kleist-Jahrbuch 1981/82. S. 195–209.

Conrady, Karl Otto: Kleists »Erdbeben in Chili«. Ein Interpretationsversuch. In: Germanisch-Romanische Monatsschrift 35 (1954) S. 185–195.

– Das Moralische in Kleists Erzählungen. In: Literatur und Gesellschaft vom 19. ins 20. Jahrhundert. Festschrift für Benno von Wiese. Hrsg. von Hans Joachim Schrimpf. Bonn 1963. S. 56–82. Wiederabgedr. in: Heinrich von Kleist. Aufsätze und Essays. Hrsg. von Walter Müller-Seidel. Darmstadt 1967. (Wege der Forschung. 147.) S. 707–735.

Corkhill, Alan: Kleists »Das Erdbeben in Chili« und Brechts »Der Augsburger Kreidekreis«. Ein Vergleich der Motivik und des Erzählstils. In: Wirkendes Wort 31 (1981) S. 152–157.

Davidts, Hermann: Die novellistische Kunst Heinrichs von Kleist. Berlin 1913. S. 13–25.

Durzak, Manfred: Zur utopischen Funktion des Kindesbildes in Kleists Erzählungen. In: Colloquia Germanica 3 (1969) S. 111–129. [Bes. S. 123–126.]

Dyer, Denys: The Stories of Kleist. A critical Study. New York 1977. S. 13–30.

Ellis, John M.: Kleist's »Das Erdbeben in Chili«. In: Publications of the English Goethe-Society 33 (1963) S. 10–55.

Ellis, John M.: Narration in the German Novelle. Theory and Interpretation. Cambridge 1974. S. 46–76.

Estermann, Alfred: Nacherzählungen Kleistscher Prosa. Texte aus literarischen Zeitschriften des Vormärz. In: Text und Kontext. Quellen und Aufsätze zur Rezeptionsgeschichte der Werke Heinrich von Kleists. Hrsg. von Klaus Kanzog. Berlin 1979. S. 72–82.

Fischer, Bernd: Fatum und Idee. Zu Kleists »Erdbeben in Chili«. In: Deutsche Vierteljahrsschrift für Literaturwissenschaft und Geistesgeschichte 58 (1984) S. 414–427.

Fitschen, Irmela: Antithetische Züge in Kleists Erzählung »Das Erdbeben in Chili«. In: Acta Germanica 8 (1973) S. 43–58.

Gassen, Kurt: Die Chronologie der Novellen Heinrich von Kleists. Weimar 1920. S. 54–60.

Gausewitz, Walter: Kleist's »Erdbeben«. In: Monatshefte 55 (1963) S. 188–194.

Graham, Ilse: Heinrich von Kleist. Word into Flesh: A Poet's Quest for the Symbol. Berlin / New York 1977. S. 159–167.

Gundolf, Friedrich: Heinrich von Kleist. Berlin 1922. S. 152–168.

Heinritz, Reinhard: Kleists Erzähltexte. Interpretation nach formalistischen Theorieansätzen. Erlangen 1983. [Bes. S. 52–75.]

Herrmann, Hans Peter: Zufall und Ich. Zum Begriff der Situation in den Novellen Heinrich von Kleists. In: Germanisch-Romanische Monatsschrift 41 (1961) S. 69–99. Wiederabgedr. in: Heinrich von Kleist. Aufsätze und Essays. Hrsg. von Walter Müller-Seidel. Darmstadt 1967. (Wege der Forschung. 147.) S. 367–411.

Herzog, Wilhelm: Heinrich von Kleist. München 1911. S. 350–354.

Hickethier, Knut: Literatur als Film – verfilmte Literatur. Helma Sanders: »Das Erdbeben in Chili« nach der Novelle von Heinrich von Kleist. In: Methoden der Film- und Fernsehanalyse. Hrsg. von Knut Hickethier und Joachim Paech. Stuttgart 1977. (Didaktik der Massenkommunikation. 4.) S. 63–90.

Holz, Hans Heinz: Macht und Ohnmacht der Sprache. Untersuchungen zum Sprachverständnis und Stil Heinrich von Kleists. Frankfurt a. M. / Bonn 1962. S. 113–158.

Horn, Peter: Anarchie und Mobherrschaft in Kleists »Erdbeben in Chili«. In: Acta Germanica 7 (1972) S. 77–96. Wiederabgedr. in P. H.: Heinrich von Kleists Erzählungen. Königstein i. Ts. 1978. S. 112–133.

Hoverland, Lilian: Heinrich von Kleist und das Prinzip der Gestaltung. Königstein i. Ts. S. 177–188.

Johnson, Richard L.: Kleist's »Erdbeben in Chili«. In: Seminar 11 (1975) S. 33–45.

Kayser, Wolfgang: Kleist als Erzähler. In: German Life and Letters. N. F. 8 (1954/55) S. 19–29. Wiederabgedr. in: W. K.: Die Vortragsreise. Bern 1958. S. 169–183. – Heinrich von Kleist. Aufsätze und Essays. Hrsg. von Walter Müller-Seidel. Darmstadt 1967. (Wege der Forschung. 147.) S. 230 bis 243.

Klein, Johannes: Geschichte der deutschen Novelle von Goethe bis zur Gegenwart. Wiesbaden 1954. S. 49–70.

– Kleists »Erdbeben in Chili«. In: Der Deutschunterricht 8 (1956) S. 5–11.

Koopmann, Helmut: Das ›rätselhafte Faktum‹ und seine Vorgeschichte. Zum analytischen Charakter der Novellen Heinrich von Kleists. In: Zeitschrift für deutsche Philologie 83 (1965) S. 508–550.

Kreutzer, Hans Joachim: Die dichterische Entwicklung Heinrichs von Kleist. Berlin 1968. S. 186–194 und 241–244.

Kunz, Josef: Die Gestaltung des tragischen Geschehens in Kleists »Erdbeben in Chili«. In: Gratulatio. Festschrift für Christian Wegner zum 70. Geburtstag. Hamburg 1963. S. 145–170.

Kuoni, Clara: Wirklichkeit und Idee in Heinrich von Kleists Frauenerleben. Leipzig 1937. S. 219–223.

Lorenz, Dagmar C. G.: Väter und Mütter in der Sozialstruktur von Kleists »Erdbeben in Chili«. In: Etudes Germaniques 33 (1978) S. 270–281.

Lucas, Richard: Studies in Kleist (II): »Das Erdbeben in Chili«. In: Deutsche Vierteljahrsschrift für Literaturwissenschaft und Geistesgeschichte 44 (1970) S. 145–170.

Mann, Thomas: Heinrich von Kleist und seine Erzählungen. In: Th. M.: Nachlese. Prosa 1951–1955. Frankfurt a. M. 1956. (Stockholmer Gesamtausgabe.) S. 9–28. [Mehrfach wiederabgedr.]

Martin, George M.: The Apparent Ambiguity of Kleist's Stories. In: German Life and Letters N. F. 21 (1978) S. 144–157. [Bes. 144–147.]

Mayer, Hans: Heinrich von Kleist. Der geschichtliche Augenblick. Pfullingen 1962.

Müller-Salget, Klaus: Das Prinzip der Doppeldeutigkeit in Kleists Erzählungen. In: Zeitschrift für deutsche Philologie 92 (1973) S. 185–211. Wiederabgedr. in: Kleists Aktualität. Neue Aufsätze und Essays 1966–1978. Hrsg. von Walter Müller-Seidel. Darmstadt 1981. (Wege der Forschung. 586.) S. 166–199.

Müller-Seidel, Walter: Verstehen und Erkennen. Eine Studie über Heinrich von Kleist. Köln/Graz 1961. Passim. [Bes. S. 95 f. und 138 ff.]

Müller-Seidel, Walter: Nachwort. In: Heinrich von Kleist: Sämtliche Erzählungen. Stuttgart 1984. S. 309–332.

Ossar, Michael: Kleists »Das Erdbeben in Chili« und »Die Marquise von O . . .«. In: Revue des langues vivantes 34 (1968) S. 151–169.

Paulsen, Wolfgang: Zum Problem der Novelle bei Heinrich von Kleist. In: Modern Language Notes 59 (1944) S. 149–157.

Pongs, Hermann: Möglichkeiten des Tragischen in der Novelle. In: Jahrbuch der Kleist-Gesellschaft 1930/31. S. 38–104.

Samuel, Richard: Heinrich von Kleists Novellen. In: Deutsche Weltliteratur. Festschrift für J. Allan Pfeffer. Hrsg. von Klaus W. Jonas. Tübingen 1972. S. 73–88. [Bes. S. 83 f.]

Schlaffer, Hannelore: Nachwort [zu] Heinrich von Kleist: Sämtliche Erzählungen. München 1980. S. 219–241. [Bes. S. 234–236.]

Schmidt, Erich: Einleitung des Herausgebers [zu den Erzählungen]. In: H. v. Kleists Werke. Hrsg. von Erich Schmidt. Leipzig/Wien 1904. Bd. 3. S. 129–140.

Schmidt, Jochen: Heinrich von Kleist. Studien zu seiner poetischen Verfahrensweise. Tübingen 1974.

Silz, Walter: Das Erdbeben in Chili. In: Monatshefte 53 (1961) S. 229–238. Wiederabgedr. in: W. S.: Heinrich von Kleist. Philadelphia 1961. S. 13–27. Deutsch in: Heinrich von Kleist. Aufsätze und Essays. Hrsg. von Walter Müller-Seidel. Darmstadt 1967. (Wege der Forschung. 147.) S. 351–366.

Steinhauer, Harry: Heinrich von Kleists »Das Erdbeben in Chili«. In: Goethezeit. Festschrift für Stuart Atkins. Hrsg. von Gerhart Hoffmeister. Bern/München 1981. S. 281–300.

Thayer, Terence K.: Kleist's Don Fernando and »Das Erdbeben in Chili«. In: Colloquia Germanica 11 (1978) S. 263–288.

Tiedemann, Rolf: Ein Traum von Ordnung. Marginalien zur Novellistik Heinrichs von Kleist. In: Heinrich von Kleist: Erzählungen. Frankfurt a. M. 1977. S. 295–323.

Träger, Christine: Heinrich von Kleists Weg zur Novelle. In: Impulse 3. Berlin/Weimar 1981. S. 132–152.

Weinrich, Harald: Literaturgeschichte eines Weltereignisses. Das Erdbeben von Lissabon. In: H. W.: Literatur für Leser. Stuttgart 1971. S. 64–76.

Wellbery, David E. (Hrsg.): Positionen der Literaturwissenschaft. Acht Modellanalysen am Beispiel von Kleists »Das Erdbeben in Chili«. München 1985.
Enthält: Friedrich A. Kittler: Ein Erdbeben in Chili und Preußen. S. 24–38. – Norbert Altenhofer: Der erschütterte Sinn. Hermeneutische Überlegungen zu Kleists »Das Erdbeben in Chili«. S. 39–53. – Karlheinz Stierle: Das Beben des Bewußtseins. Die narrative Struktur von Kleists »Das Erdbeben in Chili«. S. 54–68. – David E. Wellbery: Semiotische Anmerkungen zu Kleists »Das Erdbeben in Chili«. S. 69–87. – Christa Bürger: Statt einer Interpretation. Anmerkungen zu Kleists Erzählen. S. 88–109. – Helmut J. Schneider: Der Zusammensturz des Allgemeinen. S. 110–129. – René Girard: Mythos und Gegenmythos: Zu Kleists »Das Erdbeben in Chili«. S. 130–148. – Werner Hamacher: Das Beben der Darstellung. S. 149–173.

Werner, Hans-Georg: Die Novellistik Kleists. In: Geschichte der deutschen
   Literatur von den Anfängen bis zur Gegenwart. Bd. 7 (1789–1830). Berlin
   [Ost] 1978. S. 563–569.
Wiese, Benno von: Heinrich von Kleist: Das Erdbeben in Chili. In: Jahrbuch
   der Deutschen Schillergesellschaft 5 (1961) S. 27–71. Wiederabgedr. in:
   B. v. W.: Die deutsche Novelle von Goethe bis Kafka. Interpretationen.
   Bd. 2. Düsseldorf 1968.
Wittkowski, Wolfgang: Skepsis, Noblesse, Ironie. Formen des Als-ob in Kleists
   »Erdbeben«. In: Euphorion 63 (1969) S. 247–283.

VII. Abbildungsnachweis

6/7 Rigobert Bonne: Karte von Chile (um 1780). In: Atlas de toutes les parties connues du globe terrestre. Paris [um 1780]. Karte 33.

14 Francisco Goya: Capricho Nr. 24 »Es gab keine Hilfe« (1797/98).

18/19 Stadtplan von Santiago (Anfang des 18. Jh.s). In: [Amédée François] Frezier: Relation du voyage de la mer du sud aux cotes du Chily et du Perou, fait pendant les années 1712, 1713 & 1714. 2. Aufl. Paris 1732. Gegenüber S. 89.

23 Leonardo da Vinci: Hl. Anna Selbdritt (1501–07). Paris, Louvre.

30 Alois Kolb: Lithographie zum »Erdbeben in Chili« (zu 64,22 ff.). In: Heinrich von Kleist: Das Erdbeben in Chili. Berlin: Fritz Heyder, 1921.

35 Alois Kolb: Lithographie zum »Erdbeben in Chili« (zu 68,8). Ebd.

42/43 [Amédée François] Frezier: Allerneueste Reise nach der Süd-See und denen Küsten von Chili, Peru und Brasilien. Hamburg: Thomas von Wierings Erben, 1718. Titelblatt mit Frontispiz.

46 [Giovanni Ignazio] Molina: Versuch einer Naturgeschichte von Chili. Leipzig: Friedrich Gotthold Jacobäer, 1786. Titelblatt.

48/49 Landkarte von Chile (Ende des 18. Jh.s). Ebd. Unpag. Faltblatt vor S. 1.

53 Der Praça da Patrical in Lissabon nach dem Erdbeben. Kupferstich von J. P. Le Bas nach Zeichnungen von Paris und Pedegache. In: J. P. Le Bas: Recueil des plus belles ruines de Lisbonne. Paris 1757.

59 Joâo Glama Stromberle: Das Erdbeben von Lissabon (2. Hälfte des 18. Jh.s). Lissabon, Museu Nacional de Arte Antiga.

66 Rousseau und Voltaire im Streit über ihre Thesen. Schabkunstblatt von Martin nach Ramsey (um 1790).

70 Englisches Flugblatt vom November 1755. In: T. D. Kendrick: The Lisbon Earthquake. London 1956. Abb. 8.

81 Titelseite (Ausschnitt) des »Morgenblatts für gebildete Stände« vom 10. 9. 1807. – Beginn des Erstdrucks der Erzählung im »Morgenblatt für gebildete Stände« vom 10. 9. 1807, S. 866.

84/85 Brief von Kleist an Cotta, 17. 9. 1807. – Deutsches Literaturarchiv Marbach a. N., Cotta-Archiv (Stiftung der Stuttgarter Zeitung).

90 Heinrich von Kleist: Erzählungen. Berlin: Realschulbuchhandlung, 1810. Titelblatt.

132 Standfoto aus Helma Sanders Film »Das Erdbeben in Chili« (1974/75): Vor der Hinrichtung. Aus: Das Fernsehspiel im ZDF. H. 8. 1975. S. 24.

Der Verlag Philipp Reclam jun. dankt für die Nachdruckgenehmigung den Rechteinhabern, die durch den Quellennachweis oder einen folgenden Copyrightvermerk bezeichnet sind. Für einige Autoren waren die Rechtsnachfolger nicht festzustellen. Hier ist der Verlag bereit, nach Anforderung rechtmäßige Ansprüche abzugelten.

Heinrich von Kleist

WERKE IN RECLAMS UNIVERSAL-BIBLIOTHEK

Amphitryon. Ein Lustspiel nach Molière. Nachwort von Helmut Bachmaier. 7416 – dazu *Erläuterungen und Dokumente* von Helmut Bachmaier. 8162 [2]

Die Familie Schroffenstein. Nachwort von Curt Hohoff 1768 [2]

Die Hermannsschlacht. Drama. 348

Das Käthchen von Heilbronn oder die Feuerprobe. Großes historisches Ritterschauspiel. 40 – dazu *Erläuterungen und Dokumente* von Dirk Grathoff. 8139 [2]

Die Marquise von O... Das Erdbeben in Chili. Erzählungen. Nachwort von Christian Wagenknecht. 8002 – *Erläuterungen und Dokumente* von Hedwig Appelt und Dirk Grathoff zu *Das Erdbeben in Chili.* 8175 [2]

Michael Kohlhaas. Aus einer alten Chronik. Nachwort von Paul Michael Lützeler. 218 – dazu *Erläuterungen und Dokumente* von Günter Hagedorn. 8106

Penthesilea. Trauerspiel. 1305

Prinz Friedrich von Homburg. Schauspiel. Nachwort von Ernst von Reusner. 178 – dazu *Erläuterungen und Dokumente* von Fritz Hackert. 8147 [3]

Robert Guiskard. Herzog der Normänner. Herausgegeben von Wolfgang Golther. 6857

Sämtliche Erzählungen. Nachwort von Walter Müller-Seidel. 8232 [3]

Die Verlobung in St. Domingo. Das Bettelweib von Locarno. Der Findling. Erzählungen. 8003

Der zerbrochne Krug. Lustspiel. 91 – dazu *Erläuterungen und Dokumente* von Helmut Sembdner. 8123 [2]

Der Zweikampf. Die heilige Cäcilie. Sämtliche Anekdoten. Über das Marionettentheater und andere Prosa. 8004

Philipp Reclam jun. Stuttgart